Lutz Röhrich

Wage es, den Frosch zu küssen

Das Grimmsche Märchen Nummer Eins
in seinen Wandlungen

Eugen Diederichs Verlag

CIP-Kurztitelaufnahme der Deutschen Bibliothek
Röhrich, Lutz:
Wage es, den Frosch zu küssen: d. Grimmsche
Märchen Nr. 1 in seinen Wandlungen / Lutz Röhrich. –
1. Aufl. – Köln: Diederichs, 1987.
ISBN 3-424-00932-6

Erste Auflage 1987
© beim Eugen Diederichs Verlag GmbH & Co. KG, Köln
Umschlaggestaltung: Roland Poferl, Niederkassel,
unter Verwendung eines Cartoons von Hoest
Satz: Fotosatz Harten, Köln
Druck und Bindung: Friedrich Pustet, Regensburg
ISBN 3-424-00932-6

Inhalt

I. Froschperspektiven

II. Variationen über den Froschkönig

Anhang

I. Froschperspektiven

Das Froschkönig-Märchen ist schon seit der ersten Ausgabe die Eröffnungs-Erzählung der Grimmschen »Kinder- und Hausmärchen«.* Es ist ein Tierbräutigam-Märchen und steht im internationalen Verzeichnis der Märchentypen zu Recht zwischen den strukturgleichen Erzählungen vom »König Lindwurm« (AaTh 433)** und »Hans mein Igel« (AaTh 441).**

Es gibt sicher manche Gründe, weshalb der »Froschkönig« die Sammlung der Brüder Grimm eröffnet. Zunächst hielten die Brüder Grimm, wie sie in den Anmerkungen versichern, dieses Märchen für »eins der allerältesten und schönsten«. Außerdem sind von keinem anderen Erzähltyp auf der ganzen Welt so viele Varianten aufgezeichnet worden wie von den Tierbräutigam-Märchen. Das Grundschema ist dabei überall das gleiche: Stets endet die Geschichte mit der Erlösung des verzauberten (männlichen) Partners und der Heirat des ungleichen Paars. Das bekannteste dieser Märchen ist wohl »La belle et la bête« von Madame de Beaumont (1757). Bei den Grimms gibt es allein fünf Erzählungen dieses Typs: außer KHM 1, KHM 88 (»Das singende springende Löweneckerchen«: Der Vater muß seine jüngste Tochter einem Löwen zur Gemahlin geben), KHM 108 (»Hans mein Igel«: Das Igelkind Hans wird mit der Königstochter vermählt), KHM 144 (»Das Eselein«: Der als Esel geborene Königssohn findet die Liebe einer Königstochter) und KHM 161 (»Schneeweißchen und Rosenrot«: Schneeweißchen wird mit dem Königssohn vermählt, der in einen Bären verwandelt war[1]). Die Grimm-Fassung KHM 1 weicht allerdings vom Erwartungs-Schema eines Tierbräutigam-Märchens insofern ab, als es keine erlösende Liebe gibt.

Schon der Anfang des Märchens ist oft genug als beispielhaft zitiert worden: »Die Brüder Grimm hätten ihre Märchensammlung mit keinem anderen Satz beginnen lassen können, der so vielsagend wäre wie der erste Satz des ersten Märchens: ›In den alten Zeiten, wo das Wünschen noch geholfen hat, lebte ein König, dessen Töchter waren alle schön, aber die jüngste war so schön, daß die Sonne selbst, die doch so vieles gesehen hat, sich verwunderte, sooft sie ihr ins Gesicht schien.‹«

Dieser Anfang verlegt die Geschichte in eine einmalige Märchen-Zeit, die archaische Periode nämlich, in der wir glaubten, unsere Wünsche könnten unser Schicksal

Nebenstehende Seite: Faksimile aus dem Nachdruck der Erstausgabe der Kinder- und Hausmärchen von 1812, d.h. dem Handexemplar des Brüder-Grimm-Museums Kassel mit sämtlichen handschriftlichen Korrekturen und Nachträgen der Brüder Grimm. Göttingen 1986 (bei Vandenhoeck & Ruprecht)

* Im folgenden mit dem gebräuchlichen Kürzel KHM zitiert.
** AaTh steht für den Typen-Index von Aarne-Thompson.

[handschriftliche Notizen am oberen Rand]

Dem Namen Heinrich ist noch auf andere Art volksmäßig
Schütze v. Hinunke, Spitzlau: Knöblau Heinrich ein
magerer Mensch, eisern Heinrich ein starker, Müßiger
(Heinrich III. Graf v. Holstein hieß ferreus. 1381. wie
Ludwig in Thüringen) stählern Heinrich ein berühmter
Dieb. Holzern Heinrich ein Klotz, Holzern Mensch.
Holzern Heinrich nur Blumen, senecio vulgaris.
dergl. Nennich v. bösen = großen = guten = stolzen
Heinrich, lauter Pflanzen.
dergl. die hochdeut. Gad. heun armen Heinrich ü. pauper
Henricus.

Zum Froſchkönig. No. 1.

[rechts handschriftlich:] Nibhart 109ᵃ guter
Heinrich 134ᵃ
blinder Hein-
rich. mgl.
Düster blind
Harry.

Heinrich Finkeln,
Vogler.

Eins der allerälteſten und ſchönſten Märchen, das
man ſonſt in Deutſchland unter dem Namen: von
dem eiſernen Heinrich beſonders gekannt hat,
nach dem treuen Bedienten, der ſich ſein kummer-
volles Herz in Banden hatte legen laſſen. Rollenhagen nennt es ſo unter den alten deutſchen
Hausmärlein. Darauf bezieht ſich auch, was Thi-
lander v. Sittewald 3, 42 ſagt: „dann ihr Herz
ſtund in meiner Hand, feſter als in ein eiſen
Band.“ Vom Band der Sorge iſt noch allgemeiner und öfter Rede, vom Stein der auf dem
Herzen liegt, ſchön ſingt ein Minnedichter: „ſie
iſt mir recht ſtahelhart in mein Herz gedrückt.“
Heinrich von Sax (1, 36.) ſogar ausdrücklich:
„mein Herze in Banden litt,“ und ein Lied
von Heinrich dem Löwen Str. 59. „es lag ihr
Herz in Banden.“ — Allein der Hauptſage nach
lebt das Märchen auch in Schottland fort. In
the complaynt of Scotland geſchrieben 1548. wird
unter andern alten Erzählungen the tale of
the wolf of the warldis end genannt, das
leider ganz verloren gegangen (vielleicht die Sage vom nordiſchen Loke ? iſt. J. Leyden in ſ.
Ausg. des Complaynt Edinb. 1801. S. 234. 35.
glaubt, daß es in verſchiedene Lieder und Ammen-
märchen zerſtückt noch herumgehe, er habe Fragmente ſingen hören, worin der Brunnen von
der Welt End (well of the warldis end) vor-
komme und the well Abſolom and the cald
well ſae weary heiße. Hieran ſchließt er nun
unſer Märchen an, wiewohl der Weltbrunnen recht
gut in verſchiedene Sagen eingreifen kann, und
wir auch in dem deutſchen keine Anknüpfung zu

[rechts Mitte handschriftlich:] im

[rechts unten handschriftlich:] Thielmann Immie

A ,2

[handschriftlich am unteren Rand:]
auf im Knecht Heinrich liegt etwas nützliches.
In fabliau heißt der Brunn heißt der treue
Knecht go. v. 128–130. 138. 499.

ändern, und in der wir in unserer animistischen Weltsicht sicher waren, die Sonne nehme Kenntnis von uns und reagiere auf Ereignisse. Die überirdische Schönheit der Königstochter, die Macht des Wünschens und das Verwundern der Sonne bezeichnen die absolute Einmaligkeit dieses Geschehnisses. Diese Koordinaten versetzen die Geschichte nicht in Raum und Zeit der äußeren Wirklichkeit. Solche Anfänge machen vielmehr deutlich, daß die Geschichte auf einer ganz anderen Ebene als der alltäglichen »Realität« stattfindet[2].

Die Grimm-Version war auch für Aarne und Thompson bestimmend für ihre Typenbeschreibung: Ein Mädchen verspricht sich einem Frosch an einem Brunnen. In mehreren Stationen folgt ihr der Frosch nach: bis an die Tür, an ihren Tisch, in ihr Bett. Dort verwandelt er sich in einen Königssohn.

Illustration von P. Grot Johann zur Säkular-Ausgabe der Kinder- und Hausmärchen, Stuttgart o. J. (ca. 1912)

Die Entwicklungsgeschichte
des Grimm-Textes

Durch die Bearbeitungstechnik der Brüder Grimm macht
dieses Märchen eine grundlegende Wandlung durch.
Der Urtext in der Handschrift Wilhelm Grimms liest sich
noch wenig gestaltet, nüchtern-schlicht und relativ wort-
karg[3]. So fehlt z. B. die Anfangsformel »In den alten Zeiten, wo das Wünschen noch geholfen hat« sowohl in der
Urfassung als auch noch in der ersten Druckfassung von
1812. Die besondere Schönheit der jüngsten Königstochter wird in der Urfassung nicht eigens erwähnt. Erst später
heißt es: »...aber die jüngste war so schön, daß die Sonne
selber, die doch so vieles gesehen hat, sich verwunderte,
so oft sie ihr ins Gesicht schien.« Auch, daß die goldene
Kugel »das liebste Spielwerk« des Königskindes war,
wird in der Urfassung nicht erwähnt. Aus der einfachen
ursprünglichen Bedingung des Frosches »wenn du mich
mit nach Hause nehmen willst...« macht die Umformung
Wilhelm Grimms: »Wenn du mich lieb haben willst, und
ich soll dein Geselle und Spielkamerad sein, an deinem
Tischlein neben dir sitzen, von deinem goldenen Tellerlein essen, aus deinem Becherlein trinken, in deinem
Bettlein schlafen: Wenn du mir das versprichst, so will ich
hinuntersteigen und dir die goldene Kugel wieder heraufholen.« Zur dichterischen Erweiterung gehört auch eine
gewisse psychologische Motivierung: »Wenn der Tag
recht heiß war« und »wenn sie Langeweile hatte«, ging
die Königstochter zum Brunnen und spielte mit der goldenen Kugel. Oder Gedanken der Königstochter werden
reflektiert: »Sie dachte aber: Was der einfältige Frosch
schwätzt, der sitzt im Wasser bei seinesgleichen und
quakt und kann keines Menschen Geselle sein«, und entsprechend später: »ich dachte aber nimmermehr, daß er
aus seinem Wasser herauskönnte.« Auch die Argumenta-
tion des Frosches gehört hierher: »Heb mich herauf, oder
ich sag's deinem Vater.« Die Einfügung zusätzlicher Dia-
logpassagen in wörtlicher Rede führt nicht nur zu einem
lebhafteren Erzählstil, sondern fast zu einer Art Dramati-
sierung: »Warte, warte, nimm mich mit, ich kann nicht so
laufen wie du« – »Sei still und weine nicht, ich kann wohl
Rat schaffen« – »nun wirst du Ruhe haben, du garstiger
Frosch«.
Im Gegensatz zu dieser Beobachtung gibt es aber auch
zum Teil kompliziertere Nebensatzkonstruktionen, die
ein einfacher Volkserzähler vermutlich nicht gebraucht

hätte. »Der Frosch, als er die Zusage erhalten hatte, tauchte seinen Kopf unter ...«. Gegenüber 27 Nebensätzen enthält die letzte Fassung 58! Dichterische Zutat ist ferner die Einfügung redensartlicher Ausdrucksweise, die dem Erzählstil fiktiv den Eindruck von Mündlichkeit gibt: »du schreist ja, daß sich ein Stein erbarmen möchte« – »Ach, du bist's, alter Wasserpatscher« – »da kam, plitsch, platsch, plitsch, platsch etwas die Marmortreppe heraufgekrochen«. Geradezu sprichwörtliche Wendungen sind: »Was du versprochen hast, das mußt du auch halten« oder »Wer dir geholfen hat, als du in der Not warst, den sollst du hernach nicht verachten«.

Auch nachher wird dieses Prinzip fortgesetzt, wenn der zurückverwandelte Königssohn »nach ihres Vaters Willen ihr lieber Geselle und Gemahl« wird. Gerade die Mahnung des Vaters, das gegebene Wort zu halten, ist eine Zutat Wilhelm Grimms. So ist aus dem ursprünglich reinen Erlösungsmärchen eine moralische Erzählung geworden. Die Moral heißt: Das gegebene Versprechen muß jedem, selbst gegenüber einem Tier, eingehalten werden. Und es ist bezeichnenderweise der alte König, der diese Moral vertritt. Die Rolle des königlichen Vaters wird überhaupt erst durch die Bearbeitung der Brüder Grimm herausgehoben, und sie entspricht der bürgerlich-patriarchalischen Familienordnung und den pädagogischen Absichten der Brüder Grimm.[4]

Mit Rücksicht auf die Kinderstube hat die Grimm-Bearbeitung auch alle erotischen Anspielungen peinlich vermieden. In der Urfassung noch sagt der Frosch sehr direkt: »Ich will bei dir schlafen«, und nach der Verwandlung »legte sich die Königstochter zu ihm«. Überdies sind die kindlichen Züge der ihrem Vater gehorsamen Heldin durch die Bearbeitung Grimms sehr verstärkt worden. Während der jahrzehntelangen Umformungsprozesse durch Wilhelm Grimm entsteht gleichsam eine andere Königstochter, ein Kind, einfältig spielend, nichtsahnend, den Leser keineswegs mehr auf gesellschaftliche, innere delikate Vorgänge und Begegnungen mit dem anderen Geschlecht vorbereitend.[5] Kindertümlichem Denken soll auch eine gewisse Verniedlichung dienen, wie sie in Diminutiv-Formen zum Ausdruck kommt: Händchen, Tellerlein, Tischlein, Becherlein, Bisslein, Kämmerlein, Bettlein. Während sonst das mündlich überlieferte Märchen die einfache Benennung liebt, gibt es in KHM 1 durch den Bearbeitungsstil Wilhelm Grimms bemerkenswert viele schmückende Adjektive: der ›große dunkle‹ Wald, die ›alte‹ Linde, der ›kühle‹

Brunnen, das ›liebste‹ Spielwerk, der ›dicke, häßliche‹
Kopf, der ›alte‹ Wasserpatscher, die ›goldene‹ Krone, der
›einfältige‹ Frosch, das ›schöne‹ Spielwerk, die ›goldenen‹
Teller, der ›garstige‹ Frosch, das ›schöne reine‹ Bettlein,
die ›schönen freundlichen‹ Augen, die ›böse‹ Hexe, der
›junge‹ König etc. Beabsichtigte Wortwiederholungen
intensivieren den Ausdruck: ›sollte und sollte‹, ›wieder
und wieder‹, war ›tief, so tief‹, ›warte, warte‹. Mit anderen
Worten: Die Brüder Grimm haben aus einer relativ
kunstlosen Erzählung ein Stück romantischer Kunstprosa
geschaffen. Schon der Anfang schildert eine ausgesprochen romantische Szene: »Nahe bei dem Schlosse des
Königs lag ein großer dunkler Wald, und in dem Walde
unter einer alten Linde war ein Brunnen.« Eine erst spätere Zutat romantischer Kunstprosa ist auch die Natur-
schilderung, die dem schlichten Märchenstil sonst eher
fremd ist.

Solche Stileigentümlichkeiten reichen bis zu einer gewissen Verkitschung, wenn es zum Schluß heißt: da »kam ein
Wagen herangefahren mit acht weißen Pferden
bespannt, die hatten weiße Straußfedern auf dem Kopf
und gingen in goldenen Ketten...«. Walt Disneys Holly-
wood-Ausstattung ist hier schon vorweggenommen. Daß
die Treue gegenüber der ursprünglichen Fassung nicht
das oberste Gebot der Edition war, hat Wilhelm Grimm
ohne Vorbehalt zugegeben: »Drum habe ich mir in den
Wörtern, der Anordnung in Gleichnissen und dergleichen gar keine Schwierigkeiten gemacht und so gesprochen, wie ich in dem Augenblick Lust hatte.«[6]
Die Bearbeitung der Brüder Grimm hat das Märchen
allerdings auch verbaut, z. B. durch die Einfügung eines
›blinden‹ Motivs. Der König fragt: »mein Kind, was fürchtest du dich, steht etwa ein Riese vor der Tür und will dich
holen?«, obwohl die Erzählung mit einem Riesen nicht
das geringste zu tun hat. Zum nicht märchengemäßen Stil
gehört auch das Verlassen der Einsträngigkeit, indem eine
Vorgeschichte nachgeholt wird: »Da erzählte er ihr, er
wäre von einer bösen Hexe verwünscht worden, und niemand hätte ihn aus dem Brunnen erlösen können als sie
allein.« Erst gegen Ende der Geschichte wird also nachgeholt, was wir von Anfang an nicht wissen können: Der
Frosch war ein Prinz. So folgt die Grimmsche Bearbeitung weder dem Gesetz der Einsträngigkeit noch dem
der Logik. Aber wir nehmen an, daß, eben weil es an
erster Stelle steht, dieses Märchen stilistisch so stark bearbeitet und an manchen Stellen bis zur Unkenntlichkeit
verändert wurde. Es gibt wohl kein zweites Märchen in

Illustration von Werner Klemke,
aus: Kinder- und Hausmärchen der
Brüder Grimm, Berlin (DDR) 1962

Zeichnung von Albert Schindehütte aus der
Suite »Die Grimmschen Märchen der jungen
Marie«, mit der Unterschrift: Marie Hassenpflug erzählt den Brüdern Grimm das Märchen »Der Froschkönig« in Cassel am
8. März 1813. (Es ist freilich schon im ersten
Band der Kinder- und Hausmärchen 1812
abgedruckt.)

der ganzen Sammlung, das ähnliche Wandlungen durch-
gemacht hat.

Die erste handschriftliche Fassung Wilhelm Grimms
beruht vermutlich auf einer Erzählung aus der Familie des
Apothekers Wild in Kassel, möglicherweise von Dort-
chen Wild, der späteren Frau Wilhelms. Auf eine hessische Vorlage verweist u. a. das mundartliche »Fretsche«
für Frosch.

Am 8. 3. 1813 erzählte die damals 24jährige Marie Hassenpflug (1788–1856) ein motivverwandtes Märchen, das dann
im 2. Band der Erstausgabe von 1815 als Nr. 13 ›Der Froschprinz‹ erschien, ab 1822 dann aber in den Anmerkungsband
verwiesen wurde.[7] In dieser Fassung – hier abgedruckt auf
Seite 82 – ist von einer goldenen Kugel ebensowenig die
Rede wie vom eisernen Heinrich:

Die drei Töchter eines Königs gehen nacheinander zu
einem Brunnen, um ein Glas Wasser zu schöpfen. In diesem Brunnen sitzt aber ein Frosch, der das Wasser trübe
macht. Die beiden älteren Schwestern gehen auf das
Angebot des Frosches, ihnen frisches Wasser unter einer
Bedingung zu geben, nicht ein. Die Jüngste jedoch sagt
dem Frosch zu, sein Begehren zu erfüllen, glaubt aber
nicht an eine Verwirklichung ihres Versprechens. Doch
schließlich darf der Frosch drei Nächte lang in ihrem Bett
schlafen. Die ersten beiden Nächte schläft er zu ihren
Füßen, die dritte Nacht unter ihrem Kopfkissen. Nach der
dritten Nacht ist der Froschprinz erlöst und heiratet die
Königstochter. Die Schwestern haben das Nachsehen.

Manches, was in der letzten Ausgabe des Märchens
unstimmig erscheint oder gar als blindes oder stumpfes
Motiv, wirkt in der Version von 1815 sehr viel sinnvoller
und märchenspezifischer: So wird die Königstochter ausdrücklich als die jüngste von drei Töchtern dargestellt.
Ebenso sind drei Nächte für die Erlösung nötig. Ein wich-
tiger Unterschied zur Ausgabe letzter Hand (von 1857) ist
auch dieser: Die Prinzessin benötigt keinen Vater als
mahnendes Prinzip, um ihr Versprechen einzuhalten. Sie
erbringt vielmehr eine echte Märchenleistung: Sie erfüllt
die Bedingungen des Frosches, d. h. er darf ›ihr Schätzchen sein‹ und in ihrem Bett schlafen. Die beiden Schwestern der Heldin werden in eigenen Szenen vorgestellt
und auch am Schluß der Erzählung nochmals erwähnt:
»Die zwei andern Schwestern aber ärgerten sich, daß sie
den Frosch nicht zum Schatz genommen hatten.« Die
jüngste Tochter wird in scharfen Kontrast zu ihren beiden Schwestern gestellt, die nicht die Fähigkeit zur lie-
benden Hingabe aufbringen konnten.

Eine dritte Fassung wurde den Brüdern von der Familie Haxthausen aus dem Paderbörnischen übermittelt. In dieser Fassung wird der Schlußteil noch in das Märchen integriert: Die Braut selbst hat um ihr Herz drei Bande der Sorge gelegt. Sie brechen aus Schmerz und nicht aus Freude wie beim ›Eisernen Heinrich‹. Nach der Erlösung folgt eine Bewährungsprobe, die von beiden Partnern bestanden werden muß. Die Königstochter erweist sich als aktiv, indem sie die Angelegenheit in die Hand nimmt und in die Welt hinauswandert, um ihren Bräutigam aufzusuchen. Hier wird extrem die Loslösung vom Elternhaus dargestellt. Aber auch der Königssohn muß sich erst als reif erweisen, d. h. er muß seine rechte Braut wiedererkennen und darf sich nicht mehr von anderen Mächten (etwa einer zu starken Mutterbindung) gefangennehmen lassen. In dieser Fassung vermischt sich das Froschkönig-Geschehen mit dem Märchen von der vergessenen Braut (AaTh 313 C)[8].

Form, Stil und Struktur

Die meisten der von der Literaturwissenschaft ermittelten Aufbau-, Form- und Stilprinzipien lassen sich gut am ersten Grimmschen Märchen exemplifizieren, scheinen sogar geradezu KHM 1 als Paradebeispiel im Hintergrund zu haben.

Gegensatztechnik: Das Märchen lebt von den Antithesen Königshof und Brunnentiefe, Land und Wasser, Schönheit und Häßlichkeit. Wie kaum ein zweites Märchen der Grimm-Sammlung spricht gerade dieses von der Schönheit und Häßlichkeit seiner Repräsentanten. Dabei handelt die Schöne häßlich, und der häßliche Frosch entpuppt sich letztendlich als strahlender junger Königssohn. Daneben steht der Generationengegensatz: junge Königstochter – alter König, sowie soziale Gegensätze: König – Diener.

Prinzip der Isolation: Nach dem Verlust des einzigen geliebten Spielzeugs steht die Prinzessin allein und hilflos dem Abenteuer mit dem Frosch gegenüber. – In ihrem Schlafzimmer, in ihrem Bett, d. h. in ihrem privatesten Bereich hat sie sich dem Frosch zu stellen, der eben diese Isolation zur Partnerschaft aufbricht. Ohne es zu wissen und ohne daß ihr jemand einen diesbezüglichen Rat gegeben hätte, tut die Prinzessin das Richtige. Der aus seiner Verwünschung befreite Prinz verlangt keine Erklärung oder Entschuldigung für die zuvor ihm entgegengebrachte Aggression. »Gerade dann, wenn die Märchenhelden ganz isoliert handeln, stehen sie, ohne es zu wissen, im Schnittpunkt vieler Linien und genügen blind den Forderungen, die vom Ganzen an sie gestellt werden. Sie denken nur an ihren eigenen Weg – und erlösen dadurch andere.« Dies ist, in den Worten Max Lüthis, die Essenz des Froschkönig-Märchens.[9]

Dreizahl: Die Prinzessin ist die jüngste von drei Königstöchtern. Drei Dinge werden dem Frosch als Belohnung angeboten: Kleider, Perlen und Edelsteine, die goldene Krone. Dreimal krachen bei der Heimfahrt jeweils drei Bande vom Herzen des treuen Heinrich. Die Handlung spielt in drei szenischen Bildern: Brunnen-Szene – königliche Tafel – Schlafgemach der Prinzessin. Die Stufen der Annäherung zeigen eine dreifache deutliche Steigerung: erst einmal Geselle und Spielkamerad, dann zusammen Sitzen, Essen und Trinken und zuletzt: Schlafen.

Achtergewicht: Erst in der dritten und letzten Szene erfolgt die Erlösung. Drei Forderungen hat der Frosch: erst will er ins Schloß hinein, dann will er mit ihr bei Tisch sitzen, dann will er mit ins Bett genommen werden. Erst beim dritten Annäherungsversuch geschieht das Entscheidende.

Gesetz des Abschlusses: Nach dem dramatischen Erlösungsvorgang – die Prinzessin hat den Frosch an die Wand geknallt – gibt es in der angehängten Geschichte vom treuen Diener Heinrich noch eine Art Abgesang.

Formelhaftigkeit: Die Erzählung hat eine markante Eingangsformel: »In den alten Zeiten, wo das Wünschen noch geholfen hat...« Die eingestreuten Verse werden formelhaft wiederholt.

Gesetz der szenischen Zweiheit: Dialogcharakter: Es gibt immer nur zwei Gesprächspartner: Frosch – Prinzessin, König – Prinzessin; dann wieder: Frosch – Prinzessin, Königssohn – Prinzessin, Königssohn – treuer Heinrich, während die Prinzessin in diesem Schlußteil keinen Redeauftritt mehr hat.

Wiederholung: Wiederholt muß der Frosch anklopfen, bis er endlich eingelassen wird. Ebenso am Schluß: »Noch einmal und noch einmal krachte es auf dem Weg...«

Konzentration auf einen Helden: Hauptperson ist die Prinzessin. Die Vorgeschichte des Froschkönigs, seine Verzauberung durch eine Hexe, wird mit einem Satz abgetan.

Konkretheit: Insbesondere die Erzählung vom eisernen Heinrich zeigt, wie innere Vorgänge nach außen sichtbar gemacht, Gefühle materiell ausgedrückt werden. Das

Illustration zu Brüder Grimm, Der Froschkönig. Lahr 1946

Gefühl der Erleichterung, Befreiung, innerer Genugtuung wird ausgedrückt durch die drei eisernen Bande, die mit Krachen zerspringen. Man denkt an entsprechende umgangssprachliche Formulierungen wie: »Ein Stein fällt mir vom Herzen«. Beim Verlust der goldenen Kugel verliert das Märchen kein Wort über die trauervollen Gefühle der Besitzerin. Vielmehr wird der innerseelische Vorgang sogleich in Handlung übersetzt: »Sie fing an zu weinen.«

Einsträngigkeit: Abgesehen davon, daß die Verwandlung des Prinzen durch eine Hexe erst später nachgeholt wird, verläuft die Handlung – was die Prinzessin betrifft – biographisch, chronologisch.

Eindimensionalität: Der Frosch unterhält sich auf derselben Ebene mit den Menschen. Es gibt kein Erstaunen darüber, daß der Frosch reden kann, nicht einmal eine Spur von Überraschung oder gar Angst. Der sprechende Frosch wird als selbstverständlich hingenommen. Auch die Erlösung vollzieht sich auf der irdischen Ebene: Es gibt eine Erlösung zu einem ganz diesseitigen Leben.

Sublimation: Obwohl erotische Vorgänge geschildert werden (Eindringen eines abstoßenden Tieres in die Intimsphäre des Schlafzimmers und Bettes), ist das Märchen fern aller Sinnlichkeit, weil es die entsprechenden Vorgänge sublimiert.

Genre-Spezifik: Sehr gut lassen sich an diesem Märchen die gattungsspezifischen Unterschiede von Sage und Märchen aufzeigen, besonders am Beispiel der Erlösungsvorstellungen. Die Ekelszene mit dem Frosch hat eine nicht zu übersehende Affinität zu den Sagen vom Schlangen- (oder Kröten-)Kuß, in denen ein Schatz erst dann gehoben werden kann, wenn die ihn bewachende Jungfrau erlöst wird. Erlösungsbedingung ist ein Kuß. Doch die Jungfrau verwandelt sich in eine riesige Schlange oder Kröte, so daß der Held es in der Regel nicht übers Herz bringt, das Erlösungswerk zu vollenden und den Schatz zu heben. Die Erlösung der Schlangenkuß-Jungfrau mißlingt. Zuweilen tritt übrigens auch ein verwunschener Frosch als Erlösungsbedürftiger im Sagentyp vom Schlangenkuß auf. Im ›Froschkönig‹ kommt es statt dessen zum happy-ending.

In der elsässischen Sage vom Krötenstuhl z. B. (DS 223)* wird eine Herzogstochter, um derentwillen viele Freier ihr Leben verloren, verwünscht, so daß sie an drei Freitagen nacheinander als Schlange, Kröte und am dritten Tag

Illustration von Marcel Waeldin,
aus: Elsaß-Land/Lothringer Heimat,
6. Jahrg. 1926, Heft 6 (Juni)

---

* DS steht für »Deutsche Sagen« der Brüder Grimm, Zwei Bände, 1816/18 in ihrer natürlichen Gestalt erscheint. Wer sie in jeder dieser Gestalten auf den Mund küßt, erlöst sie. Die Erlösung kommt nicht zustande.

Nach dem Erwartungshorizont des Genres gibt es kein glückliches Ende, sondern die Verwandelten harren noch immer der Erlösung.[10]

Struktur: Beim Vergleich einer größeren Zahl von Varianten von AaTh 440 ergibt sich eine durchgängige Struktur: Fast immer geht das Märchen von der Notlage einer Frau aus (Lebensgefahr, Verlust eines wertvollen Schmuckstücks, Ring, Armband, goldene Kugel). Der tierische Helfer (Froschkönig, Frosch, Pogge, Kröte, Schorfkröte, Schlange) bietet seine Hilfe an, aber er stellt Bedingungen. Vom Retter wird ein Lohn, eine Gegenleistung gefordert, die von der Gefährdeten versprochen wird. Die mündliche Zusage ist bindend, d. h. das mündliche Versprechen setzt eine unbedingte Erfüllungspflicht voraus. Der Retter beruft sich in einem Vers auf das Versprechen und zwingt das zögernde Mädchen zur Erfüllung des Versprechens. Strukturell, etwa im Sinne der Modelle von Propp, Meletinski oder Dundes zeigen sich ›binäre Oppositionen‹:

Verwünschung	– Erlösung
Mangel	– Behebung des Mangels (durch
(Verlust der goldenen Kugel)	– das Wiederbringen der Kugel)
Versprechen	– Einhaltung des Versprechens
Verweigerung	– Aufgabe der Verweigerung und Hingabe
Fesselung durch drei eiserne Bande	– Entfesselung und Befreiung
Hinausgehen in den Wald	– Heimkehr ins elterliche Schloß

Diese binären Oppositionen sind kunstvoll ineinander verzahnt und haben jeweils ihre Entsprechungen:

A 1 Verzauberung
B 1 Mangel (Verlust der goldenen Kugel)
C 1 Versprechen
B 2 Behebung des Mangels
C 2 Einlösung des Versprechens
A 2 Erlösung.

Sing-Verse

Das Froschkönigmärchen ist eine Prosa-Erzählung mit eingestreuten Versen. Verse stehen im Märchen oft an entscheidenden Stellen; vor allem sind es übernatürliche Wesen, die Verse benutzen. Entsprechend diesen dramaturgischen Regeln spricht der verzauberte Frosch in Versen bzw. in einer rhythmischen Sprache:

Sing-Verse

Königstochter, jüngste,
mach mir auf,
weißt Du nicht, was gestern
Du zu mir gesagt
bei dem kühlen Brunnenwasser?
Königstochter, jüngste,
mach mir auf.

Auch der Frosch in der Grimm-Fassung von 1813[11] spricht in Versen:

Wann du willst mein Schätzchen sein,
will ich dir geben hell, hell Wässerlein.

Es ist sehr bemerkenswert und auffallend, daß auch andere Varianten an exakt derselben Stelle Verse aufweisen. Sie weichen im Wortlaut zum Teil nicht unerheblich ab. So sagt der Froschkönig im mecklenburgischen Märchen:

Legg mi in dien Bett,
Legg mi in dien Bett,
Du allerschönstes Mädchen!
Du weißt ja wohl am Brunnen,
Wo du von Herzen weintest!

Giff mi einen Kuss,
Giff mi einen Kuss,
Du allerschönstes Mädchen!
Du weißt ja wohl am Brunnen,
Wo du von Herzen weintest![12]

Eine entsprechende Strophe gibt es auch in der pommerischen Variante:

Schoenste Prinzessin!
Weetst du woll, as du saitest
An dem Fleite,
Då du dijne Ring verlåre,
Då du mij tom Mann erkåre[13],
Schoenste Prinzessin?

Eine Fassung mit Sing-Versen ist aus einer Pommern-Siedlung in Mittelpolen aufgezeichnet worden.[14] Mit entschiedener Direktheit verlangt hier der singende Frosch:

Mach mir's Bett, mach mir's Bett ...
Da du mir die Eh' versprachst, ...
Komm mit mir schlafen, komm mit mir schlafen.

In einem Fall ist uns gar die Melodie-Aufzeichnung der Worte der Kröte erhalten:[15]

Bereits im Jahre 1794, also vor der Aufzeichnung der Brüder Grimm, hat Friedrich David Gräter (geb. 1768) in seiner Abhandlung »Über die teutschen Volkslieder und ihre Musik« einen solchen Singvers mitgeteilt.[16] Schon den Brüdern Grimm war der älteste erhaltene europäische Text des Froschkönigmärchens, eine Inhaltsangabe aus »The complaynt of Scotland« (1548) bekannt. Dort stehen an der entscheidenden Stelle Verse, die denen des deutschen Märchens genau entsprechen. Der Frosch fordert Einlaß mit den Worten:

open the door, my hinny, my hart,
open the door, mine ain wee thing:
and mind the words that you and I spak
down in the meadow, at the well-spring!

und als er hereingelassen wird, verlangt er:

take me up on your knee, my dearie,
and mind the words that you and I spak
at the cauld well sae weary.

Diese Übereinstimmung beweist wieder einmal die wohlbekannte Erscheinung, daß Verse zu den am kontinuierlichsten tradierten Elementen der Prosa-Erzählung gehören.[17]
Auch am Ende von KHM 1 markieren Verse Abschluß und Höhepunkt der Erzählung:

»Heinrich, der Wagen bricht«.
»Nein, Herr, der Wagen nicht,
es ist ein Band von meinem Herzen,
das da lag in großen Schmerzen,
als Ihr in dem Brunnen saßt,
als Ihr eine Fretsche wast.«

Varianten

Die Varianten des Froschkönig-Märchens sind bei Bolte-Polívka[18] und Kurt Ranke[19] aufgeführt. Die Liste ist nicht allzu umfangreich. Nachgewiesen werden dort zwei vlämische, eine ostpreußische, zwei pommerische Varianten. Nach Skandinavien hin nehmen die Belege zu: Aus Schweden sind 11 Varianten bekannt, aus Dänemark gar 27, aus Irland 13, 1 gälische Version[20] und 12 Varianten aus Polen. Darüber hinaus: wendische, russische, lettische und litauische Varianten. Zusätzliche neuere deutschsprachige Varianten finden sich bei R. Wossidlo/G. Henssen[21], bei Paul Nedo[22], bei Elfriede Moser-Rath[23]; eine mundartliche hessische Variante bei Charlotte Oberfeld[24]. Bis auf ganz wenige Ausnahmen fehlt das Märchen im oberdeutschen Raum. Immerhin gibt es eine alemannische Fassung aus Baden[25], die einen recht selbständigen, Grimm-unabhängigen Eindruck macht; sowie eine ungarndeutsche authentische Aufzeichnung von Johannes und Waltraut Künzig[26]. Die meisten im Handwörterbuch des Deutschen Märchens (HdM)[27] aufgeführten zahlreichen angeblichen Motivparallelen haben mit KHM 1 nicht das mindeste zu tun. In dieser Beziehung vermittelt der Artikel ein völlig falsches Verbreitungsbild von AaTh 440. Auffallenderweise fehlt der Froschkönig in der klassischen russischen Sammlung von Afanasjew, und er fehlt offensichtlich auch in südeuropäischen Sammlungen. Der französische Typenkatalog führt nur eine Grimm-abhängige Variante auf, sowie frankophone Versionen aus Kanada und den Vereinigten Staaten[28]. In französischen parallelen Märchen geht es – meist schon wegen des grammatischen Geschlechts – um eine Froschprinzessin: Ein junger Mann heiratet einen Laubfrosch, in den eine Fee sich selbst verwandelt hatte, nachdem sie seine treue Gesinnung und Hilfsbereitschaft erprobt hat. Auch in slavischen Fassungen erscheint der verzauberte Prinz meist in Gestalt einer Schlange oder eines Krebses, weil die entsprechenden Worte für den Frosch weiblichen Geschlechts sind[29].

Läßt man die aufgeführten Varianten Revue passieren, so sind sie zu einem nicht geringen Teil Grimm-abhängig. Kurt Rankes oft wiederholte These[30], die KHM hätten auf das mündliche Erzählgut des 19. und 20. Jahrhunderts einen nur geringen Einfluß ausgeübt, läßt sich ganz offensichtlich nicht halten. Die von Ranke selbst veröffentlichte schleswig-holsteinische Variante[31] ist sehr deutlich Grimm-abhängig. Gerade einige in neuerer Zeit aufgezeichnete Varianten sind ohne Zweifel Grimm-abhängig, darunter auch die von Siegfried Neumann von der mecklenburgischen Märchenfrau Bertha Peters erzählte Version[32] und ebenso auch die von J. und W. Künzig aufgezeichnete ungarndeutsche Erzählung.[33]

Durch die starken und ganz spezifischen Grimmschen Umformungen lassen sich auch bei anderen Varianten leicht die Grimm-Abhängigkeit oder -Unabhängigkeit nachweisen. Die Grimm-unabhängigen Varianten verlaufen strukturell deutlich anders, zum Teil sind es auch andere Tiere, die darin auftreten, wie Kröte oder Schlange, Krebs oder Skorpion. Ein Beispiel bietet etwa die schleswig-holsteinische Erzählung »Ode und de Slang«.[34] Hier geht es um eine echte Tierbräutigam-Erzählung:

Für seine jüngste Tochter nimmt der Vater eine Schlange, die ihm hinter dem Wagen herläuft, als Mitbringsel mit. Sie fängt an zu sprechen und will nun immer mehr: vor der Haustüre auf die Diele, von da in die Kammer und schließlich ins Bett des Mädchens. Doch hier zeigt die Heldin eine echte Erlösungsleistung. Sie hat Mitleid mit dem Tier: (in hochdeutscher Übertragung) Was bist du verfroren, du armes Ding. Komm herein und wärme dich. Und da nahm sie die Schlange zu sich ins Bett. Und als die Schlange bei ihr lag, da verwandelte sie sich in einen vornehmen Prinzen, und das Mädchen wurde seine Frau. (In der Bechsteinschen Version »Oda und die Schlange« findet sich der Text auf Seite 87).

Eine andere Motivation bietet das pommersche Märchen »De Koenigin un de Pogg«[35].

Hier geht es um eine Königin, deren Mann im Krieg ist. Beim Händewaschen fällt ihr der Ring ins Wasser, den »ein große Pogg« wiederbringt, der als Gegenleistung verlangt, daß sie ihn zum Mann nehme. Sie versucht, ihn mit ihrer Magd abzuspeisen, als der Frosch einen Kuß verlangt. Schließlich besinnt sich die Heldin aber auch auf ihr Versprechen. Sie läßt sich von ihrer Magd ein Tuch vor die Augen binden und küßt ihn nur mit gespitztem Mund (»sei spitzt all eer Muelke«). Aber immerhin tut sie es. Da gibt es einen großen Knall, und vor ihr steht ihr lieber Mann. Im Krieg war er von einer bösen Hexe in einen Frosch verwandelt worden und zwar so lange, bis ihn eine Prinzessin küssen würde. So schwamm er bis zu seinem Schloß, »denn er hatte sich gleich gedacht, daß kein Mensch außer seiner eigenen Frau ihm einen Kuß geben würde«.

Historische Belege, Alter des Märchens

Was Alter und Herkunft des Froschkönig-Märchens betreffen, bleiben wir auf Vermutungen angewiesen, da eine vollständige Überlieferung erst spät einsetzt. Der Herausgeber des bereits genannten »Complaynt of Scotland« (Klage über Schottland) hatte eine Ausgabe dieses Textes im Jahre 1801 anläßlich einer Erzählung vom Ende der Welt und von einem Weltbrunnen (»The Tale of the Wolf (Well?) of the warldis end«) mit der Inhaltsangabe unseres Märchens verbunden.[36] Seine Worte lauten:

according to the popular tale a lady is sent by her stepmother to draw water from the well of the worlds end. She arrives at the well, after encountering many dangers; but soon perceives that her adventures have not reached a conclusion. A frog emerges from the well, and, before it suffers her to draw water, obliges her to betrothe herself to the monster, under the penalty of being torn to pieces. The lady returns safe; but at midnight the frog lover appears at the door and demands entrance, according to promise to the great consternation of the lady and her nurse. (Es folgen die bereits S. 23 zitierten Verse). The frog is finally disenchanted and appears as a prince in his original form.[37]

Dies ist – noch vor Grimm – die früheste erhaltene Inhaltsangabe des Märchentyps AaTh 440. Es gibt jedoch eine Reihe von älteren Spuren des Märchens, Hinweise, die bereits auf eine mittelalterliche Verbreitung schließen lassen. Daß man schon im 13. Jahrhundert in Deutschland von einem verzauberten Frosch erzählte, um dessentwillen ein Mädchen viel Ungemach auf sich nahm, scheint der Prediger Berthold von Regensburg im ›Rusticanus de sanctis‹[38] zu bezeugen: ›Stultus et invirtuosus esset, qui ranam tantum diligeret, quod potius sibi vellet oculos erui quam illam deserere, similiter os et nasum, immo et se comburi cum omnibus quae habet‹, falls hier nicht bloß an das Sprichwort ›Si quis amat ranam, ranam putat esse Dianam‹ zu denken ist, wobei mit den Worten ›rana – Diana‹ gespielt wird. Auch andere mittelalterliche Zeugnisse sind nicht mit Sicherheit in ihrem Bezug zum Froschkönig zu deuten. Sie kommen ebenfalls aus dem Bereich des lateinischen Sprichworts; in mehreren vorreformatorischen Sammlungen gibt es z. B. Belege für ›in gremium missa post rana sinum petit ipsa‹: So der Frosch in den Schoß kommt, so wollt er gern in den Busen.

Illustration aus Rollenhagen, Froschmeuseler, Magdeburg 1559. Nach Ilse Bang, Die Entwicklung der deutschen Märchenillustration, München 1944, Nr. 16

Die bislang einzige Spur unseres Märchens bis zur klassischen Antike ist ebenfalls im Bereich der sprichwörtlichen Redensart zu finden: Im Gastmahl des Trimalchio (›Cena Trimalchionis‹), Kapitel 77 von Petronius, einem satirischen Roman aus der Zeit des Kaisers Nero, 60 Jahre nach Christi Geburt, in dem die gesellschaftlichen Verhältnisse vor allem der ungebildeten Neureichen geschildert werden, fällt über einen solchen das Wort: ›qui fuit rana, nunc est rex‹ (der gerade noch ein Frosch war, ist jetzt König). Es bezieht sich auf einen reichgewordenen Bürger, der sich jetzt als wunderwer vorkommt, obwohl er noch vor kurzem im Dreck und Schlamassel saß. Es ist höchst fraglich, ob man aus einem solchen Einzelbeleg das allgemeine Bekanntsein einer Erzählung von der Art unseres Froschkönig-Märchens voraussetzen darf. Immerhin ist das Gastmahl des Trimalchio auch sonst ein wichtiges Quellenwerk für Sprichwörter wie Volkserzählungen. Dort findet sich u. a. der Erstbeleg für den Schwank von der Matrone von Ephesus sowie einer der frühesten Belege für eine Werwolfsage.[39]

Im indischen Pañcatantra (500 v. Chr.) gibt es zwei Erzählungen, die Theodor Benfey mit dem Märchen in Verbindung zu bringen gesucht hat. Die eine erwähnt ausdrücklich einen Froschkönig, der in einem Brunnen wohnt und eine Auseinandersetzung mit einer Schlange hat[40]. Doch hat die Erzählung mit AaTh 440 nichts gemein. In der Geschichte vom verzauberten Brahmanensohn[41] bringt die Frau des Brahmanen eine Schlange zur Welt. Diese wird mit einem Mädchen verheiratet. Nachdem die Schlangenhaut verbrannt worden ist, bleibt der junge Mann in menschlicher Gestalt. Hier handelt es sich zwar um eine ausgesprochene Tierbräutigam-Erzählung, aber mit Sicherheit noch nicht um eine Vorform des Froschkönigs.

Das Grundmotiv hat man auch in einem altchinesischen Hochzeitslied nachzuweisen versucht. Darin heißt es sinngemäß von einem jungen Mädchen: Auf der Suche nach der Schwalbenschönheit hat sie den Frosch erwischt. Aus einer solchen Einzelstrophe kann man jedoch nicht die Existenz des Froschkönig-Märchens im alten China folgern, zumal die Grundidee der Vermählung des Hohen mit dem Niedrigen, des Schönen mit dem Häßlichen ubiquitär ist[42]. Wolfram Eberhard vermutet das Märchen vom Froschkönig noch im heutigen China. Doch die bei Ting 440 notierten Inhalte weichen zu stark von der europäischen Normalform ab, als daß man hier von einer Verwandtschaft reden könnte[43].

Kulturhistorische Indizien

Kulturhistorische Indizien aus der Erzählung selbst sind nicht sehr ergiebig. Gelegentlich sind schon Versuche von kulturhistorischen Altersbestimmungen unternommen worden, z. B. aufgrund der bindenden Kraft des Versprechens oder Verlöbnisses. Grunwald, der Autor des Froschkönig-Artikels im Handwörterbuch des Märchens führt aus, daß vor allem nach jüdischer Anschauung das Verlöbnis als das schwerwiegendste Gelübde galt. Er folgert daraus, daß die Moral von KHM 1 einem kulturellen Hintergrund entstammen müsse, dem die seit dem 10. Jahrhundert durch jüdische Märchen allgemeiner bekannt gewordene jüdische Rechtsanschauung in diesem Punkt vertraut war. Diese Hypothese ist wenig überzeugend, wiewohl es 1934 mutig gewesen sein mochte, hinter einem so herausragenden Märchen der Grimm-Sammlung einen jüdischen Hintergrund vermutet zu haben. Interessanter ist schon die Form der Eheschließung: Eine kirchliche oder standesamtliche Trauung wird nicht erwähnt; es genügt der Konsens der Gatten.

Der Froschkönig hat auch mit »froschgestalteten Dämonen«, die »schon das alte Babylon kannte« nichts zu tun, wie das Handwörterbuch des Märchens nachzuweisen suchte.[44] Mit Sicherheit ist der Froschkönig auch kein »Herr der Frösche« im Sinne bestimmter Märchen-Tierkönige oder Herren bestimmter Tierarten wie Bienenkönigin, Herr der Fische, König der Schlangen etc., obwohl es in der Sage solche Phänomene gibt[45]. In anderen Sagen geht es um den listigen Erwerb der Krone des Froschkönigs[46]. Diese Sage gehört jedoch nicht in den Umkreis von AaTh 440, sondern eher in die Nähe zu den Sagen von Kronen – Schlangen und Schlangenkrone (AaTh 672 ff.).

Ein verwunschener hilfreicher Frosch, der sich hernach in ein schönes Märchen verwandelt und die Geliebte des Prinzen wird, kommt auch in dem Grimmschen Märchen Nr. 43 der Ausgabe von 1815 vor[47].

Tierbräutigam-Märchen erzählen in der Regel von wilden Tieren (Löwe, Wolf) oder auch von verachteten oder kleinen Tieren (Esel, Igel). Aber warum ist es hier gerade ein Frosch, und warum ist der Frosch in dieser Rolle so erfolgreich?

Der Frosch bringt als Tier gewisse Voraussetzungen mit, die ihn für seine Rolle in diesem Märchen prädestiniert erscheinen lassen. Nicht nur seine Schwimmtechnik hat der Mensch ihm abgesehen; der Frosch hat in gewisser Weise etwas Menschenähnliches, und mehrere – wenn auch meist negative – Vergleiche mit dem Frosch charakterisieren Menschen: Ein Nackter kann als ›Nacktfrosch‹ bezeichnet werden; von einem Kühlen, Gefühlsarmen sagt man, er sei ›wie ein Frosch‹; ein Meteorologe wird als »Wetterfrosch« bezeichnet, weil Frösche als Wetterpropheten gelten. Frosch steht auch für den kleinen, d. h. sozial schwachen Mann, insbesondere in der Bezeichnung ›Froschperspektive‹. Der Frosch hat ein breites Maul, er hat Schwimmblasen, die er aufblähen kann: Großsprecherische, aufgeblasene Menschen werden darum mit Fröschen verglichen. Auch in der Fabel ist der Frosch meist ein Angeber. Der Frosch gehört ferner zu den Tieren, denen man große Potenz zuschreibt; vielleicht beruht das auf der Beobachtung großer Mengen von Froschlaich in Seen. Auch das Paarungsverhalten von Fröschen und Kröten ist auffällig; man denke an das Verhalten der sog. ›Geburtshelferkröte‹. Tomi Ungerers ›Kamasutra der Frösche‹[48] bezieht seinen Witz aus dem ganz menschlich erscheinenden Paarungsverhalten von Fröschen und aus den teils stimmigen, teils unstimmigen Analogien: Bei Fröschen ist manches möglich oder erlaubt, was unter Menschen entweder physiologisch unmöglich oder aber – und dies häufiger – gesellschaftlich tabuiert ist. Es sind männliche Wunschträume, die der Zeichner im Bereiche der Zoologie auffindet, und darum lautet auch sein Motto des Buches: ›Ein Mann, der die Tiere nachzuahmen weiß, entfacht Liebe, Freundschaft und Achtung in den Herzen der Frauen.‹

Froschabbildungen in frühen Naturgeschichten. In der Mitte eine Kröte (nach Edward Topsel, The History of Fourfooted Beasts and Serpents, London 1658), unten eine sogenannte Padde oder rückengekrümmter Frosch (nach derselben Quelle)

Illustration von Ludwig Richter zum
Grimmschen Märchen »Dornröschen«

Frösche und Kröten verkörpern im Märchen die Sexualität. Das ist nicht nur eine Vermutung der Psychologen[49]. Sie läßt sich auch aus den Märchentexten selbst stützen. Frosch und Kröte haben etwas mit der volkstümlichen Gebärmutter-Vorstellung zu tun[50]. Am Anfang des Grimmschen Dornröschen-Märchens sitzt die Königin im Bad. Da kommt ein Frosch aus dem Wasser ans Land gekrochen und sagt ihr: »Dein Wunsch wird erfüllt werden, ehe ein Jahr vergeht, wirst du eine Tochter zur Welt bringen.« In einem dänischen Märchen erfüllt ein Frosch dem faulen Lars jeden Wunsch. Der erste Wunsch des Helden ist es, die Prinzessin zu schwängern[51]. Vielleicht aus demselben Grund werden Frösche und Kröten in christlicher Sicht abgewertet. Sie gelten als Erscheinungen unerlöster armer Seelen. Bei Berthold von Regensburg sind die Sünder ›Kröten des Teufels‹. In der Offenbarung des Johannes (16, 13) nehmen die unreinen Geister Froschgestalt an.

Das Motiv der drei eisernen Bande

Die drei eisernen Bande des treuen Heinrich sind keine Zutat des Grimmschen Bearbeitungsstiles. Der Zug ist vielmehr alt. Schon Rollenhagen im ›Froschmeuseler‹[52] kennt unter den Hausmärchen eines, das »vom eisernen Heinrich« handelt, wie er in eben diesem Gedicht die Zeilen bildet:

denn ihr Hertz stund in dieser Hand
fester denn in eim eisen Band,

und es gibt schon mittelalterliche Vorprägungen für diese Diktion.
Im altfranzösischen Gedicht ›Le chevalier au cygne et Godefroi de Bouillon‹[53] fürchtet der Sultan von Persien, wie er vom Siege der Kreuzfahrer bei Antiochia hört, vor Schmerz zu bersten und schnürt seinen ledernen Gürtel fest. Sigurds Brünne zerspringt, als er hört, daß Gudrun ihren Gatten nicht verlassen will[54]. Im ›Weinschwelg‹[55] heißt es: »Er zôch ein hirzhals an sich, den hiez er vaste brîsen, dar zuo von guotem îsen ein banzier enge: Des wînes gedrenge lât mich nu ungezerret«. Das Wirtemperk puch[56] schreibt: »Daz ich meinen leib mit eisenen reifen beslüeg«; in Gödings Gedicht von Heinrich dem Löwen heißt es: »Ihr Hertze lag in Banden«[57].
Auch sonst ist von dem Band der Sorge, dem Stein, der

auf dem Herzen liegt, die Rede[58]. Insbesondere kennt aber der Minnesang das in Banden gelegte Herz (Herzband). Ein solcher Minnedichter[59] sagt schon: ›Si ist mir in min herze stahelherteklich gedrükket‹, und Heinrich von Sax[60] sagt ausdrücklich: »Min herze in banden lit«. Zu der Wendung vom Herzen, das in Banden liegt, haben die Brüder Grimm in ihren Anmerkungen zur Erstausgabe schon Parallelen beigesteuert. Es kommt auch in anderen Märchen vor: Daß ein Herz vor Traurigkeit zerspringen kann, wird auch in KHM 89 (›Die Gänsemagd‹) angedeutet:

Wenn das deine Mutter wüßt',
das Herz im Leib tät ihr zerspringen.

In einer Variante vom ›Löweneckerchen‹ (KHM 88) werden Eisenreifen einer schwangeren Frau um den Leib gelegt, um die Geburt des Kindes zu verhindern[61]. Das Bild ist weit verbreitet und kommt auch in ganz anderen Zusammenhängen vor. In einem bretonischen Lied kracht bei der Weihe eines jungen Priesters das Herz seiner Geliebten laut:

Un des vicaires demandait:
›Est-ce la charpente de l'église qui craque ainsi?‹
›Sauf votre grâce, seigneur, ce n'est pas,
Mais c'est Jeanne le Iudec, qui s'est évanouie‹.[62]

Soziologische Aspekte

Auf die in diesem Märchen auch möglichen soziologischen Aspekte ist noch kaum geachtet worden, obwohl es durchaus Varianten gibt, die eine solche Betrachtungsweise nahelegen. Die Welt, in der sich AaTh 440 abspielt, ist keineswegs immer – wie in den drei Fassungen der Brüder Grimm – die Welt des Hofes. Des öfteren ist das Märchen auch in einem niederen sozialen Milieu angesiedelt. In einer ostpreußischen Fassung aus der Sammlung H. Grudde[63] ist die Heldin »Wilhelminke« die einzige Tochter von Gärtnersleuten, die an einem See leben. Von dort schleppt die Tochter das Wasser zum Waschen nach Hause. Auch die von Wilhelm Busch aufgezeichnete Fassung[64] hat unser Märchen außerhalb der Welt des Schlosses in ein bäuerliches Milieu verlegt.

Wo das Märchen im königlichen Schloß spielt, sind die Perspektiven doch die der einfachen Leute, und gelegentlich gibt es auch Sozialkritik. Eine ungarndeutsche Variante hebt z. B. ganz auf die Demütigung einer stolzen Königstochter ab: »... die war so stolz, die hat überhaupt keinen Menschen geachtet. Einen Armen hat sie überhaupt nicht angeschaut. Die hat sich immer, weil sie eine Königstochter gewesen ist, so stolz gegeben; sie war eben so hochmütig. Keinen Diener und keinen Menschen hat sie angeschaut ...«[65]. Hochmut ist auch die Motivation dafür, daß die Königstochter allein dem Frosch begegnet: »Jetzt ist sie einmal spazierengegangen. Sie allein, sie hat ja keinen Menschen mitgenommen. Dazu ist sie schon zu stolz gewesen!«[66] Entsprechend ist die innere Wandlung der Prinzessin auch sozialer Art, wenn von ihr am Schluß gesagt wird: »Danach hat sie ihren Stolz und ihren Hochmut fahren lassen, sie hat auch die Diener und alle armen Leute von da an gerne gehabt und hat geholfen, was sie gekonnt hat.«[67] Geläutert herrscht sie am Schluß mit ihrem Mann über das gemeinsame Reich.

Es ist interessant zu verfolgen, wie das Froschkönig-Märchen sich bei der Übersetzung in andere Sprachen den jeweiligen gesellschaftlichen Bedingungen angepaßt hat. Der japanische Frosch sagt z. B. zur Königstochter, daß er die Kugel wieder heraufholen wolle, wenn er ihr Spielkamerad sein und an ihrem Tischlein mit ihr zusammen essen könne. Er verlangt aber bescheidenerweise nicht, in ihrem Bettlein mit ihr zusammen zu schlafen.

Sie wiederum verhält sich nicht so grausam dem Frosch gegenüber, daß sie ihn kräftig gegen die Wand wirft. »Die

Königstochter stand auf, nahm den Frosch in die Hand, hob ihn hoch über ihren Kopf und hätte ihn beinahe gegen die Wand geworfen. In dem Moment erinnerte sie sich plötzlich daran, daß sie zu jedem nett sein mußte, weil sie eine Tochter des Königs war. Der zornige Blick wich aus ihren blauen Augen. Sie legte den Frosch in eine Ecke ihres Bettes. Kaum hatte sie das getan, geschah ein Wunder ...«

Der willkürliche Zusatz, daß die Königstochter zu jedem nett sein müsse, weil sie über den anderen Menschen stehe, ist ein den Forderungen der Zeit angepaßter Ausdruck. Der japanische Übersetzer versucht damit den Kindern die Illusion zu geben, daß der höherstehende Mensch immer einen besseren Charakter habe und sich kontrollieren müsse. Hier werden Elemente der Erziehung unter dem japanischen Konservatismus sichtbar, die auch nach dem Zweiten Weltkrieg nicht schwinden, sondern sich in einer anderen Form erhalten.

»Die Königstochter fand es häßlich, mit dem Frosch zu schlafen. Sie erinnerte sich aber an die Lehre des Königs, daß man sein Versprechen immer halten muß. Also nahm sie den Frosch ins Bett hinein und dann schlief sie ein.«

Die Königstochter wird zu einem dem König (oder dem Vater) gehorchenden Kind verändert, und durch den damit verbundenen Gehorsam wird dem Frosch ein gnädiges Schicksal zuteil. In einer anderen japanischen Ausgabe spielt anstelle des Gehorsams die Sympathie eine Rolle:

»Die Königstochter haßte den Frosch am Anfang sehr stark. Weil er aber so artig war, fand sie ihn lieb und sagte ihm: ›Entschuldige bitte, wie ich mich vorhin verhalten habe, lieber Frosch!‹. Als sie die Bettdecke zart über ihn legte, blitzten goldene Strahlen, und ein schöner Königssohn stand neben ihr.«

Der phantastische Zug dieses Märchens besteht eigentlich darin, daß der Frosch sich ganz plötzlich zum Königssohn zurückverwandelt, als die Königstochter ihn gegen die Wand wirft. Den meisten japanischen Übersetzern ist aber dieser unschuldige Reiz des Märchens nicht wichtig; wichtig ist ihnen die moralische Lehre. Es gibt einige Übersetzer, die die KHM originalgetreu ins Japanische übersetzt haben. Aber viele Übersetzer veränderten die KHM gemäß der japanischen Moralerziehung für Kinder. Das positive Vaterbild muß im japanischen Märchen betont werden, und deshalb fügt der Übersetzer im Nachwort des Buches beispielsweise folgendes hinzu:

»Was hat der Königstochter, die ihr Wort beinahe bre-

»Heiraten? O je, kleine Frau! Wie komme ich als Prinz dazu, mir ein Vögelchen anzulachen, das alle Frösche ringsum abküßt?« Cartoon aus: Wolfgang Mieder, Modern Anglo-American Variants of the Frog Prince, in: New York Folklore, vol. 6, Nr. 3/4, Winter 1980

chen wollte, doch noch das Glück gebracht? Es war die hoch zu achtende Haltung des Vaters und Königs, der sein Kind wegen seiner Unzuverlässigkeit streng gescholten hat.« Der lobenswerte Vater, der König, hat sein Kind ins Glück geführt. »Wollen wir nun deshalb unseren Eltern gehorchen?« So verbindet er das Märchen mit der moralischen Lehre der »Pietät«.

An diesem Beispiel, dem »Froschkönig«, sieht man die verschiedenen Veränderungen der KHM gemäß dem moralischen und erzieherischen Ideal in der japanischen Gesellschaft[68].

Psychologische Aspekte

Das Froschkönig-Märchen als Schilderung von Reifungs-
vorgängen und als erotische Erzählung

Wenn Psychologen immer wieder zentrale Märcheninhalte als Schilderung von Reifungsvorgängen beschrieben haben, so war das Froschkönig-Märchen stets ein Paradebeispiel. In seinem Beitrag ›Reifungserlebnis im Märchen‹ schreibt Bruno Jöckel[69]: »In dieser Königstochter dürfen wir ein Mädchen sehen, das im Begriff steht, die Grenze zwischen Kindheit und Reifung zu überschreiten.« In der spielenden Königstochter finden übrigens Kinder auch stets ein wünschenswertes Identifikationsobjekt[70]. Mehrere psychologische Interpretationen von KHM 1 haben das Märchen jedenfalls als einen Reifungsprozeß gedeutet, als ein Überwinden von sexuellen Ängsten mit dem schließlichen Ende einer erotischen Wunscherfüllung, die in die Heirat mit einem erstrebenswerten und begehrten Partner mündet.

Die Heldin ist zu Beginn des Märchens noch ein spielendes Kind, und am nächsten Tag heiratet sie. Mit dem goldenen Ball geht dem Mädchen die goldene Welt der Kindheit, des Spiels, der Unschuld verloren. Es ist ein sehr beschleunigter Reifungsprozeß, den die Prinzessin durchmacht, und so ist es kein Zufall, daß andere Varianten zwischen dem Kindheitserlebnis der Prinzessin und dem Auftauchen des Tieres im Schloß einige Zeit vergehen lassen, bis die Prinzessin mittlerweile achtzehn Jahre alt geworden war[71]. In jedem Fall realisiert die Erzählung das Ende der Kindheit und das Erwachen des Selbst in einer Art Übergangsritus, die Entwicklung vom verspielten Kind, das in seiner Ich-Befangenheit sich selbst genug war, zur entschlossenen, heiratsfähigen, zum

»Königstochter, jüngste, mach mir auf!«
Holzschnitt von Alfred Zacharias zu Grimms
Märchen, München o.J. (ca. 1948)

Du offenen Frau[72]. Nachdem die Heldin die Schwelle
überschritten hat, stellt sich heraus, daß das eben noch
Gefürchtete genauso viele positive Seiten hat wie das
Verlorene. Sie bejaht ihren neuen Zustand: Aus dem
Mädchen ist eine Frau geworden.

Auch für den Frosch bedeutet das Märchengeschehen
eine Art Initiation. Der Frosch muß viele Stufen über-
springen, um die Verwünschung zu überwinden und
Mensch zu werden. Die intime Begegnung mit der Frau
hebt den Mann auf eine höhere, menschliche Ebene[73]. In
eine ähnliche Richtung gehen die Interpretationen von
Wilhelm Laiblin und Bruno Bettelheim. Deutlich hat das
Froschkönig-Märchen etwas mit Sexualität und Angstge-
fühlen zu tun. Es zeigt, daß zur Liebe eine radikale Ver-
änderung der bisherigen Einstellung notwendig ist. Dies
wird in dem höchst eindrucksvollen Bild der Verwandlung eines häßlichen Tieres in einen wunderbaren Menschen zum Ausdruck gebracht[75].

Ebenso wie die (als tierischer Partner im Typ AaTh 440
auswechselbare) Schlange ist der Frosch immer wieder als
bewußtes oder unbewußtes phallisches Symbol[76], als
Verkörperung der männlich-schöpferischen Potenz[77]
gedeutet worden. Bruno Bettelheim begründet diese
Analogie mit den natürlichen Eigenschaften des Frosches: »Die Fähigkeit des Frosches sich aufzublasen,
wenn er erregt ist, weckt – ebenfalls unbewußt – Assozia-
tionen zur Fähigkeit des Penis, sich aufzurichten.«[78] Die
Sexualdeutung des Frosches reicht noch weit in die literarischen Bearbeitungen des Stoffes hinein, z. B. in einem
Gedicht von Anne Sexton: »Beim Anfühlen des Froschs/
explodieren die Rühr-mich-nicht-an-Gefühle/wie elek-
trische Geschosse« und »Der Frosch ist meines Vaters
Genitalien.«[79]

Von all dem ist natürlich bei den Brüdern Grimm in
KHM 1 nicht die Rede, und wir haben schon vermerkt,
daß sich die Verkindlichungs- und Verharmlosungsten-
denz der Grimmschen Bearbeitung gerade auf die Bettszene bezieht. Es ist dies generell eine Folge dieser Bearbeitungstechnik, daß sie die Märchen dort, wo sie einen
ausgesprochen erotischen Kern haben, alles Sexuellen
entkleiden und verharmlosen. Dies entspricht expressis
verbis auch der Absicht der Brüder, wie sie in der Vorrede
zur 2. Auflage der KHM (1819) zum Ausdruck gebracht
wird, wo es heißt: »... dabei haben wir jeden für das Kin-
desalter nicht passenden Ausdruck in dieser Auflage sorg-
fältig gelöscht.« Aber zweifellos handelt es sich beim
›Froschkönig‹ im Hintergrund um eine ausgesprochen

»Als er aber herabfiel, war er kein Frosch ...«
Holzschnitt von Alfred Zacharias zu Grimms
Märchen, München o. J. (ca. 1948)

erotische Erzählung, nicht um ein Kindermärchen. Die Abneigung der Königstochter gegen den Frosch betrifft doch nicht nur die ekelerregende Gestalt des Tieres, des kalten und schlüpfrigen Frosches, den sie mit in ihr Bett nehmen soll, – »Das kalte glibbrige, glabbrige Ding will in meinem warmen Bettchen schlafen«[80] – sondern dahinter steht doch das männliche Prinzip, und dies bringen andere Fassungen auch deutlich zum Ausdruck, worum es dem Frosch eigentlich geht.

Die Sexualität erscheint als ein ekelerregendes Tier, und je näher der Frosch der Prinzessin körperlich kommt, um so mehr ekelt sie sich vor ihm, vor allem aber fürchtet sie sich vor der Berührung mit ihm.

Drei solcher Beispiele für die Bettwünsche des Frosches mögen genügen: Im ungarndeutschen Märchen sagt der Frosch: »Ich hole dir die Kugel heraus, wenn du mich heute nacht bei dir schlafen läßt« (i hoi da de Kugl aussa, waunst mir hait nacht be dir schlafa lasst)[81]. »Wilhelminke, ick will in e Schoot« (und später: »up e Bug« – auf den Bauch), singt die Kröte im ostpreußischen Froschkönigmärchen[82].

Und die Schorfkröte im pommerschen Märchen wünscht sich, »daß ich drei Wochen lang neben dir in deinem Bettchen schlafe.«[83] In dieser Version wird auch noch ausdrücklich erwähnt, daß die beiden sich vorher ankleiden, bevor sie dann zu dem alten König gehen und ihn um seinen Segen bitten[84].

In der polnisch-pommerischen Fassung stellt der Frosch von vornherein die Bedingung an die Prinzessin: »Gib mir zuerst einen Kuß, dann will ich dir Wasser geben.« Es geht also nicht nur um die Auseinandersetzung mit dem väterlichen Einfluß in diesem Märchen, sondern generell um die Rolle des Männlichen im Leben des Mädchens[85]. Das Verhältnis der Prinzessin zum Frosch ist ja ambivalent: Einerseits läuft sie davon, andererseits geht sie und öffnet die Tür, als er anklopft[86]. Daß sich sexuelle Abneigung und Schuldgefühle wegen sexueller Wünsche schließlich in wirkliche Liebe und Liebeserfüllung sublimieren, meint nicht nur der amerikanische Psychoanalytiker Julius E. Heuscher[87]. Abneigung, Ekel, Haß schlagen in Liebe um. Ähnlich äußert sich Bruno Bettelheim:

»Auf einer anderen Ebene teilt uns die Geschichte mit, daß wir nicht erwarten können, daß unsere ersten erotischen Kontakte lustvoll verlaufen, da sie dafür viel zu schwierig und mit Angst beladen sind. Aber wenn wir dem Partner trotz unseres zeitweiligen Widerwillens

GLAUB' MIR DOCH, SCHATZ, ABER DIE PRINZESSIN WAR WIRKLICH NICHT ANDERS ALS DU...

Ausschnitt aus einem Cartoon von Papan, aus: Stern Nr. 49 vom 29. Nov. 1979.

erlauben, immer intimer mit uns zu werden, so werden wir in einem bestimmten Augenblick mit einem freudigen Schock erleben, wie die vollkommene Intimität erst die ganze Schönheit der Sexualität enthüllt.«[88]

In diesem Sinne will Bruno Bettelheim das Märchen auch für eine unbewußte Sexualerziehung des Kindes einsetzen und sieht seine Bedeutung für die Pädagogik: »Deshalb muß man den Kindern beibringen, daß die Sexualität zwar zu Anfang ekelhaft tierisch erscheinen mag, daß aber, sobald man die rechte Art, sie zu handhaben, gefunden hat, etwas sehr Schönes hinter diesem scheinbar Abstoßenden zum Vorschein kommt. Hier ist das Märchen, ohne daß es irgendwelche sexuellen Erlebnisse je erwähnt oder direkt darauf anspielt, psychologisch gesünder als viele unserer sexuellen Erziehungsmaßnahmen. Die moderne sexuelle Aufklärung bemüht sich zu lehren, daß die Sexualität etwas Normales, Erfreuliches, ja Schönes ist und daß sie unbestreitbar für den Fortbestand der Menschheit notwendig ist. Aber da sie nicht davon ausgeht, daß das Kind sie abstoßend finden könnte und daß dieser Standpunkt eine wichtige schützende Funktion hat, wirkt die moderne sexuelle Aufklärung nicht überzeugend für das Kind. Indem das Märchen ihm dagegen bestätigt, daß der Frosch (oder um welches Tier es sich auch immer handelt) eklig sein kann, gewinnt es sein Vertrauen und ist so in der Lage, in ihm den festen Glauben zu erzeugen, daß dieses eklige Tier, wenn der richtige Zeitpunkt gekommen ist, sich als der charmanteste Lebensgefährte entpuppen wird. Und diese Botschaft vermittelt das Märchen, ohne jemals direkt etwas Sexuelles zu erwähnen.«[89]

In Iring Fetschers ›Märchen-Verwirrbuch‹[90] erscheint der Froschkönig mit dem Untertitel ›Sexuelle Probleme von Königstöchtern‹. Gewissermaßen in der Rolle des Therapeuten wird hier der Vater gesehen: »Mit Hilfe eines formal autoritären Befehls versucht der König die sexuelle Verhaltensstörung der Tochter zu überwinden. Er setzt sich bei dieser Gelegenheit über die gewiß auch bei ihm vorhandenen sozialen Vorurteile (gegen den Bauern- oder Fischerknaben) hinweg, weil er die einmalige Chance sieht, seine Tochter aus ihrer autistisch-narzißtischen Befangenheit zu heterosexueller Intersubjektivität zu befreien … Der eigentliche ›Held‹ des Märchens bleibt selbst in der Grimmschen Fassung der liberale, bürgerlich-naturrechtlich denkende König …« Nicht immer hat man das Froschkönig-Märchen mit solchem Augenzwinkern und bewußt über-

»Aber ich will ja gar nicht in einen Prinz verwandelt werden. Ich will, daß du mich so akzeptierst, wie ich bin!« Cartoon von Dole, aus: Wolfgang Mieder, Modern Anglo-American Variants of the Frog Prince, a. a. O.

»Wenn du es unbedingt wissen willst: Ja! Als Frosch war ich glücklicher!« Cartoon von Hoest, aus der gleichen Quelle wie oben

»Okay, ich habe gelogen! Ich bin kein Prinz.
Heirate mich trotzdem, und keine Fliege wird
dich je mehr belästigen!« Cartoon von
S. Gross, aus: Audubon, vol. 87, Nr. 4, Juli 1985

»Du hast gelogen!« Cartoon von Nilson

zogenem psychologischen Jargon interpretiert. Es ist jedoch immer wieder mit Schwierigkeiten in partnerschaftlichen Beziehungen parallelisiert und therapeutisch herangezogen worden. Zu nennen ist hier etwa der Versuch von Hans Jellouschek:[91]

Jellouschek sieht im Froschkönig-Märchen geradezu ein »Lebensgrundmuster«. Er vermutet, »daß das Märchen vom Froschkönig etwas sehr Grundlegendes über Beziehungskonflikte und den Sinn von Paarbeziehungen überhaupt aussagt«, weil die Thematik *Frosch–Männer* und *Prinzessin–Frauen* betrifft oder umgekehrt. Das Märchen vom Froschkönig »schildert … den Prozeß eines Paares, das durch Scheitern und Loslassen hindurchgehen muß, um den Weg zu seiner Ganzheitsgestalt als Paar zu finden«. Jellouschek findet in der Königstochter des Märchens jenen Typ von Frauen wieder, die oft Frosch-Beziehungen eingehen, weil sie in ihrer Jugend das Mütterliche entbehrten. Es fällt ja auf, daß es in diesem Märchen keine Mutter gibt, sondern nur einen autoritären Vater. Die Königstochter sucht das Mütterliche, das ihr fehlt. »Das Dunkel des Waldes, die Tiefe des kühlen Brunnens, der weit ausladende Lindenbaum – das sind eindrucksvolle Symbole des Mütterlichen« … »sie läuft von zu Hause weg, weil sie da nicht findet, was sie braucht: das Mütterliche«. So wie es im Leben der Prinzessin keine Mutter gab und gibt, so im Leben des Froschkönigs keinen Vater. Nur von einer Hexe ist die Rede, die ihn verwünscht hat, also eine negative Weiblichkeitserfahrung. Auf der Basis ihrer Gleichheit ziehen sich die beiden in ihren Gegensätzen mächtig an und mißverstehen sich gründlich.

Jellouschek sieht in dem Froschkönig-Märchen wesentliche und häufige Mann-Frau-Beziehungen. Typisch für eine solche Beziehung: Es wird viel zuviel erwartet, versprochen und geglaubt. Das gilt gerade auch aus der Perspektive des Frosches. Er will ›Liebe für Hilfe‹: »Ich kann wohl Rat schaffen, aber was gibst du mir, wenn ich dein Spielwerk wieder heraufhole?« »Das Märchen spricht aus, was in der Realität in großzügigen Hilfsangeboten oft unausgesprochen und versteckt mitgeliefert wird: die Erwartung, vom anderen für den eigenen Einsatz reichlich belohnt zu werden. Der Frosch verlangt die Gemeinschaft von Tisch und Bett. Helfen und Trösten sind aber keine tragfähige Basis für eine Beziehung zwischen Mann und Frau.«

Es ist eigentlich nur folgerichtig, daß die Prinzessin den

Frosch an die Wand wirft, denn er will ihre Liebe erpressen; und hat es von Anfang an versucht.

Auch für Wilhelm Laiblin ist das Froschkönigmärchen ein Beispiel für die ›große Lebenswahrheit im Märchen‹, wie der Mensch sein Schicksal anzunehmen hat; und er sieht in der Figur des Frosches eine fast mephistophelische Natur im Goetheschen Sinne, »ein Teil von jener Kraft, die stets das Böse will und doch das Gute schafft«.[92]

»Und sowas nennst du einen Kuß?« Cartoon aus: Wolfgang Mieder, Modern Anglo-American Variants of the Frog Prince, a. a. O.

Erlösende Liebe?

Kaum einer hat das Wesen der Tierbräutigam-Geschichten, ihre Ambivalenz von häßlich und schön und das, was als Erlösungsgedanke ihnen zugrunde liegt, so treffend und prägnant beschrieben wie Max Lüthi[93]:

»In einem seiner Fragmente spricht Novalis davon, daß in vielen Märchen ein häßliches oder gefährliches Tier – Schlange, Kröte, Bär – sich mit einem Schlage in ein Königskind verwandelt, wenn der Held es über sich bringt, ihm seine Liebe zuzuwenden. Deutet, fragt Novalis, dieser Zug nicht darauf hin, ›daß, wenn der Mensch sich selbst überwindet, er auch die Natur zugleich überwindet und ein Wunder vorgeht … Die Verwandlung des Bären in einen Prinzen in dem Augenblick, als der Bär geliebt wurde … vielleicht geschähe eine ähnliche Verwandlung, wenn der Mensch das Übel in der Welt liebgewänne.‹ …

Der Märchenhörer erlebt aber den Tierbräutigam zweifellos nicht nur als Repräsentanten des Übels in der Welt, sondern sieht in ihm ebensosehr den von diesem Übel befallenen, erlösungsbedürftigen Menschen – *den* Menschen oder einen Menschen, einen fremden Menschen oder sich selber. Je nach seiner eigenen Befindlichkeit wird der, der das Märchen in sich aufnimmt, das Tier zunächst als Bild für die eigene Seele nehmen oder für die eines anderen Menschen oder als Bild der menschlichen Seele überhaupt. Wie eng übrigens verklammert das Märchen das Schicksal des Erlösers und des zu Erlösenden! Kaufmannstochter, Edelfräulein (in dem schwedischen Märchen ›Zuerst geboren, zuerst vermählt‹) und Königin, Prinz und Bauernjunge erlösen mit dem Verwunschenen zugleich sich selber aus schlimmer Lage. Der Erlöser ist erlösungsbedürftig, und der Erlöste wird zum Erlöser. Darin spiegelt sich die Angewiesenheit des einen auf den anderen in der Gesellschaft ebenso wie das

»Du hast auch schon mal besser geküßt, als du noch Frosch warst, mein Prinz!« Cartoon aus: Good House Keeping, Sept. 1984

Erlösende Liebe? Zusammenspiel von bewußtem Ich und unbewußtem Es
in der eigenen Seele. Auch dieser Zug unseres Märchen-
motivs also erweist sich als gleich sinnvoll, ob wir nun im
Erlösungsvorgang die Begegnung zweier Menschen oder
ein rein innerseelisches Geschehen erleben …

In der Erzählung vom Tierbräutigam, der in der Hoch-
zeitsnacht zum strahlenden Prinzen wird, von der Tier-
braut, die sich in eine Prinzessin verwandelt, spiegelt sich
ohne allen Zweifel auch das ambivalente Verhältnis der
Geschlechter zueinander, der Umschlag der Abneigung
in Zuneigung …

Aber so wie ein Bild viele Bedeutungen hat, so kann
umgekehrt eine und dieselbe Wesenheit durch viele verschiedene Bilder dargestellt werden. Die eigene Seele,
das Unbewußte erscheint das eine Mal als Meer, ein
andermal als großer Wald, dann wieder als Jungfrau, die es
zu erlösen, zu freien gilt, oder als Tier, sei es als Drache,
der überwunden, sei es als Kröte, die geküßt werden
muß …

Im Grimmschen Märchen vom Froschkönig aber wird
das Tierlein voll Zorn und Haß an die Wand geschleudert
– und gerade so erfüllt das wortbrüchige und ahnungslose
Königstöchterlein die geheime Erlösungsbedingung.«
So sehr diese Betrachtungen die Tierbräutigam-Erzählungen im allgemeinen gut charakterisieren, so wenig gelten sie jedoch für den speziellen Fall des Froschkönig-
Märchens. Gerade die Grimm-Fassung zeichnet sich
durch das völlige Fehlen einer erlösenden Liebe aus.
Nicht Mitleid und Nächstenliebe, sondern der Zorn der
Prinzessin erlöst den Partner. Der Erlösungsvorgang hat
etwas ausgesprochen Brutales und auch etwas ausgesprochen Zufälliges: Die Königstochter plant keine Erlösung,
ja sie ahnt noch nicht einmal die Möglichkeit einer Erlösung. Ihre Erlösungshandlung folgt eher dem ›Gesetz der
das Gegenteil bewirkenden Anstrengung‹.[94] Die zufällige
Erlösung beeinträchtigt die innere Logik eines Erlö-
sungsmärchens. In anderen Varianten als der Grimmschen gibt es zweifellos mehr eigene Erlösungsleistung
der Heldin, d. h. wie in anderen Tierbräutigam-Märchen
muß die Prinzessin erst Liebe aufbringen, die dann die
Erlösung in Gang setzt: Sie muß den Frosch küssen, der
neben ihr im Bett liegt; die beiden müssen zuvor drei
Nächte oder gar drei Wochen zusammen schlafen – dann
erst erhält der Frosch seine menschliche Gestalt. Die
Heldin beauftragt fünfmal ihre Magd mit der geforderten
Dienstleistung und fünfmal lehnt der tierische Vertrags-

partner ab und besteht darauf, daß die Frau die Aufgabe
selbst erfüllen muß.

Die pommerische Prinzessin überwindet ihren Abscheu
und küßt den schlüpfrigen Frosch, als sie ihn betrübt sieht
– da verwandelt er sich in ihren Gemahl, den eine böse
Hexe in einen Frosch verwünscht hatte[95]. Eine wirkliche
Erlösungsleistung, sich in Liebe zu überwinden und die
»grot grulich Kreet« zu küssen, kennt auch das ostpreußische Märchen[96].

Schon in einer anderen, den Brüdern Grimm bekannten
Fassung von Marie Hassenpflug bedarf die Prinzessin
nicht der Ermahnung ihres Vaters, eingegangene Ver-

Erlösende Liebe?

»...und warf ihn aus allen ihren Kräften
wider die Wand.« Federzeichnung von Josef
Hegenbarth zu: Märchen der Brüder Grimm,
Leipzig 1976

sprechen einzuhalten. Sie sagt von sich aus: »Ei, da ist ja mein Schatz, der Frosch, nun weil ichs ihm versprochen habe, so will ich ihm aufmachen«. Drei Nächte verbringt der Frosch im Bett der Prinzessin, und sie erlöst ihn, weil sie versprochen hatte, sein Schatz zu sein[97].

Nun gibt es in den Tierbräutigam-Erzählungen auch sonst gewaltsame Erlösungsarten, z. B. durch Enthaupten oder Verbrennen der abgestreiften Tierhaut. Hedwig von Beit spricht in diesem Zusammenhang von »Erlösung durch einen Schock«.[98] Aber es ist in KHM 1 noch weit mehr als ein Schock: Es ist eine Art Tötungsversuch, wenn man nicht gleich von einem Mordanschlag sprechen will. Töten als Voraussetzung einer Erlösung kommt auch in anderen Märchen vor. Das beste Beispiel ist vielleicht die Erlösung des Fuchses im Märchen vom goldenen Vogel[98]. Immer ist es das Heiratsmotiv, das mit dem Todesmotiv verbunden ist: Es muß etwas sterben, um neues Leben zu ermöglichen. Die gewaltsame Zerstörung der Froschexistenz bringt den Königssohn hervor. Das braucht man nicht nur von der Heldin aus zu sehen: Der Frosch selbst erlebt seine Verwandlung in einem sehr schmerzvollen Prozeß[99].

Die Heldin des Froschkönigmärchens, die sich immer wieder um die Erfüllung ihrer Versprechen drücken möchte und schließlich den lästigen Frosch an die Wand schmettert, um ihn zu töten, ist weder gütig, liebevoll oder mitleidig, noch auch nur pflichtbewußt. Sie ist vielmehr ausgesprochen wortbrüchig und hat von Anfang an gar nicht die Absicht, ihr Versprechen halten zu wollen. Sie belügt ihren Vater, und sie wirft den Frosch, der ihr unsympathisch ist, aus dem Bett.

Mangelnde Moralvorstellungen gibt es freilich auch auf der Gegenseite: Der Froschkönig handelt nämlich auch nicht moralisch und gut: Er wendet einen Trick an: Er versucht, die Prinzessin mithilfe eines von dem jungen Mädchen geliebten Spielzeugs zur Liebe zu zwingen und eine Minderjährige zu erpressen. So gesehen hat auch er die Erlösungs-Belohnung moralisch nicht verdient.

Die Gleichung gut = schön geht nicht auf. Schön ist jedenfalls im Märchen nicht immer gleich gut[100]. Während bei den Gegenspielern alle bösen Taten streng und grausam bestraft werden, können für die Helden selbst Unrecht und Hartherzigkeit am Schluß doch noch zum Glück führen. Da wird offensichtlich mit zweierlei Maß gemessen.

Es wäre jedoch ganz falsch, die Tat der Königstochter mit den Maßstäben der bürgerlichen Moral oder des Strafge-

setzbuches zu messen. Mord an einem Frosch wäre da doch nicht vorgesehen, und nicht einmal der Tatbestand der Tierquälerei wäre vermutlich erfüllt. Hier setzt vielmehr die geheime Logik des Märchens ein: Damit, daß sie den Frosch an die Wand schleudert, hat sie, ohne es zu ahnen, die geheime Bedingung erfüllt, die für die Erlösung des zu einem Frosch verwunschenen Prinzen gestellt war. Obwohl sie – ganz wie Mephisto – das Böse will, schafft sie letztlich das Gute. Durch die gröbste Verletzung ihres eigenen Versprechens und der Grundsätze, die ihr Vater ihr vorgehalten hat, wird ihr die größte Belohnung zuteil. Diese Erlösung zeigt eher eine Art Prädestination: Die Königstochter erlöst den für sie bestimmten und passenden Partner und erringt sich – ganz ohne ihr eigenes Verdienst – das Glück:
»... und niemand hatte ihn aus dem Brunnen erlösen können, als sie allein.« Während in der Sage die Erlösung altruistisch ganz auf den zu Erlösenden gerichtet ist, verläuft sie im Märchen subjektiv und egoistisch: Weniger das Glück des Erlösten ist entscheidend, als vielmehr das Glück des Erlösenden, des Erlösers. So steht am Ende der junge Mann »mit schönen freundlichen Augen« vor dem Mädchen, das nach dem Martyrium der Initiation in höchster Ekstase, indem es die eigene kindliche Hülle sprengte, dem Weib in sich zum Durchbruch verhalf[101].

Erlösende Liebe?

Prinzessin mit großen Ambitionen küßt einfachen Frosch.
Cartoon von Stine

Die Funktion der
Handlungspersonen

Die Prinzessin – der Vater/König – der eiserne Heinrich

Es ist möglich, das Märchen nach dem Sinn der Einzelfiguren zu hinterfragen. Eine Charakterisierung der Heldin hat zuletzt Heinz Rölleke unternommen, in der er ausgesprochen emanzipatorische Züge erkennt:[102]
»Die Heldin des Froschkönigmärchens, die jüngste Königstochter, ist im heiratsfähigen Alter, aber noch spielt sie mit ihrer goldenen Kugel allein. Ein Partner meldet sich aus scheinbar gräulichen, lichtlosen, sumpfigen Tiefen – was er von ihr tatsächlich fordert, kann oder will sie nicht ermessen. Für die Wiederherstellung ihres scheinbar glücklichen, partnerlosen Kinderdaseins (die Wiederbeschaffung des Balles, mit dem sie wieder allein spielen will) verspricht sie gedankenlos einiges. Aber sie läuft buchstäblich vor diesem Versprechen und diesem scheinbar so häßlich-unappetitlichen Partner davon. Doch der läßt nicht locker und findet einen Helfer im Vater der Prinzessin mit der biederen Maxime: Was man versprochen hat, das muß man auch halten. Das tut die junge Dame nun auch – aber nur bis zum punctum saliens: Vom Tellerlein darf er mit ihr essen, aus ihrem Becherlein darf er trinken – aber als er in ihr reines Bettlein steigen will, womit die Pressionen des zudringlichen Bräutigams und der Vatermacht ihren Höhepunkt erreichen würden, da wird es ihr zuviel. In *der* Gestalt, mit *dieser* Haltung zumindest, will sie ihn nicht. Und sie greift zum Äußersten, zu mehr als trotziger Auflehnung gegen zu weit geführte väterliche Gewalt, zu mehr als zu abwehrender Verteidigung gegen den ungeliebten Frosch-Mann: Sie verwirft ihn in drastischster Form, schmettert ihn gegen die Wand, ermordet ihn brutal: »Aber der Frosch fiel nicht tot herunter, sondern wie er herab auf das Bett kam, da wars ein schöner junger Prinz. Der war nun ihr lieber Geselle, und sie hielt ihn wert, und sie schliefen vergnügt zusammen ein.«
Wir müssen diese Lösung und diesen Märchenausgang ... als sensationell betrachten. Ein gänzlich unkonventionelles Verhalten der jungen Frau – um es ganz schwach auszudrücken – ein restlos unbürgerliches, ja ein auf den ersten Blick höchst unmoralisches, um nicht zu sagen verbrecherisches Tun wird vom Märchen königlich belohnt. Warum? Nun, sie hat nach der bildhaften Aussage des Märchens das in jeder Hinsicht und einzig Richtige getan.

Der Psychologe würde von Überwindung des Affekt-staus sprechen, man könnte es auch den Umschlag von Haß in Liebe nennen. Uns geht hier an, daß das Märchen offenbar zu solcher Haltung ermuntert und ermutigt und das in Zeitläufen, denen Begriffe wie Selbstverwirklichung, Emanzipation oder gar Feminismus so fremd wie nur etwas waren ...«

Das Grimmsche Märchen bietet keine Vollform einer Erzählung vom entzauberten Tierbräu igam, da keine Vorgeschichte des Königsohnes erzählt wird. Zugleich zeigt diese Verkürzung aber um so deutlicher, wie sehr dieses Märchen aus der Sicht der weiblichen Hauptfigur her gesehen und erzählt ist. Das Märchen ist den Brüdern Grimm von Frauen erzählt worden, und in der Tat kann eine Frau sich am ehesten mit der Heldin dieser Erzählung identifizieren: Es ist ein Frauenmärchen. Dabei ist auffällig in diesem Märchen, daß abgesehen von der Heldin von anderen weiblichen Personen gar nicht die Rede ist: Die älteren Schwestern der Prinzessin werden nur erwähnt, aber sie treten handlungsmäßig nicht in Erscheinung. Von einer Mutter ist in diesem Märchen nicht die Rede, sie wird einfach ausgeblendet.

Wie in so vielen Tierbräutigamgeschichten ist es auch im Froschkönig der Vater, der seine Tochter und ihren späteren Gemahl zusammenbringt. Nur durch seine Hartnäckigkeit kommt die glückliche Vereinigung zustande[103]. Bis vor nicht allzu langer Zeit wurde dieser König als ein guter Erzieher angesehen, der die Gewissensbildung seiner Tochter günstig beeinflußte und damit eine typisch väterliche Funktion ausübte[104]. So registriert das Handwörterbuch des deutschen Märchens mit Genugtuung: Strenges und unerbittliches Gerechtigkeitsempfinden sind ausgezeichnete Eigenschaften des Königs, auch im Verhältnis zu seinen Kindern. Er zwingt die Tochter, ihr Versprechen zu halten, er straft ihren Hochmut[105]. Einem anderen Autor der 30er Jahre gilt dieser alte König geradezu »als Vertreter und Anwalt der ewigen Weltordnung«.[106] Wir wissen mittlerweile, daß die Vaterrolle des Königs erst von Wilhelm Grimm zu einer so gewichtigen moralischen Instanz ausgebaut worden ist, daß sie also dem patriarchalischen Weltbild des 19. Jahrhunderts zugehört und nicht zum Urtextbestand. An dieser Haltung des Königs, der die Sozialisation seines Kindes brutal durchsetzt, stoßen sich mittlerweile auch antiautoritäre Meinungen. So schreibt z. B. Klaus Doderer:[107]

»Im Märchen vom ›Froschkönig‹ ... tritt der Vater fast

»Der König sah wohl, daß ihr das Herz gewaltig klopfte ...« Holzschnitt von Werner Klemke, aus: Kinder- und Hausmärchen der Brüder Grimm, Berlin (DDR) 1962

ausschließlich als Fordernder auf. So muß sich die Königstochter dem Willen und der absoluten Autorität des Vaters unterordnen. Mit künstlerischen Mitteln wird die Gewichtigkeit der herrschaftlichen Macht betont, indem auf das Fragen und Sagen des Königs in einer ersten Phase das Befehlen folgt und schließlich das Zornig-Werden den Nachdruck verleiht, der zum Durchsetzen seiner Anordnungen notwendig ist. Die verängstigte Tochter wird zu einer Handlung gezwungen, es wird ihr Unterwerfung abgefordert. Diese allerdings wird reich belohnt.«

Aber ist dieser König wirklich nur der Gehorsam fordernde und die Ethik des Versprechens einklagende Patriarch? Man fragt sich unwillkürlich: Warum wirft der König, der doch sonst so auf Anstand, Sitte und Ordnung bedacht ist und als König darauf bedacht sein *muß*, diesen Frosch nicht einfach aus seinem Schloß hinaus? Warum läßt er es sogar zu, daß dieser Frosch von seiner eigenen Tochter Dinge fordert, die er seinem Gewissen, seiner Person und Standesehre gegenüber doch niemals billigen kann, und warum fordert er sie regelrecht dazu auf, mit diesem hergelaufenen und widerlichen Frosch all das zu machen, was normalerweise nur einem Ehepaar erlaubt und zugestanden wird?[108]

Die Figur des königlichen Vaters wird von Bruno Bettelheim als ›Über-Ich‹ interpretiert:[109] Eine solche Deutung geht davon aus, daß Märchen Wunschvorstellungen realisieren. In diesem Fall vertritt der Vater die verdrängten Wunschvorstellungen der Prinzessin. Der Frosch möchte »Geselle und Spielkamerad« sein, neben dem Mädchen sitzen, mit ihm zusammen essen und trinken und in ihrem ›Bettlein schlafen‹. Gerade dies würde von den Eltern verboten, verurteilt und bestraft. Das Kind wünscht sich aber gerade das, was ihm von den Eltern strikt verboten wird, nämlich mit einem gegengeschlechtlichen Spielkameraden das zu tun, was die Eltern machen. Wenn dieser Wunsch unter dem Druck der Erziehung verdrängt wurde, so entspricht das auch einem Wunsch, wenn gerade der Vater diesen Wunsch für gut heißen würde. Die Märchenphantasie erweist sich als verkappte Wunscherfüllung. Es ist das, was die Psychoanalyse ›projektive Reaktionsbildung‹ (Freud) nennt. Projektiv deshalb, weil man in diesem Fall dem Vater das in den Mund legt, was man gern selber will, nämlich: Du mußt mit dem Frosch ins Bett gehen. Diese Wunscherfüllung erscheint also entlastenderweise von außen aufgezwungen, d. h. zunächst vom Frosch, dann vom Vater. Eine Reaktionsbildung liegt vor, indem die Wunscherfüllung nicht als angenehm, sondern als ekelhaft empfunden wird. Daß am Anfang im Märchen ein garstiger Frosch anstelle des schönen freundlichen jungen Mannes stehen mußte, wird klar, wenn man die Angst vor der Strafe bei dem Mädchen versteht, die es bei seiner Wunschvorstellung hat[110].

Den Schlußteil mit der Erzählung vom eisernen Heinrich haben manche Herausgeber als ›aufgepfropft‹ empfunden und kurzerhand weggelassen. Die Frage ist berechtigt: Welchen Sinn hat diese nachgeschobene Episode, die doch für den eigentlichen Gang der Handlung scheinbar unerheblich ist? Immerhin hat allerdings die Heinrich-Episode zur Titelbildung beigetragen, kann also doch nicht ganz unwichtig sein, und schließlich bildet sie sogar den Schlußakzent der Erzählung. Interessanterweise handelt es sich bei KHM 1 um das einzige Grimmsche Märchen mit einem Doppeltitel. Man kann sich fragen, ob der Abschluß der Erzählung mit dem Rest des Märchens ein harmonisches Ganzes bildet, oder ob wir es mit einem verkümmerten Anhängsel zu tun haben. In dieser epilogischen Szene wird an der Gestalt des treuen Dieners gezeigt, wie schmerzlich die Verzauberung für alle gewesen war[111]. Agnes Gutter erwägt sogar, ob der eiserne Heinrich nicht als ›Ichträger‹ und ›eigentlicher Held‹ des Märchens anzusehen sei[112].

Psychologisch sinnvoller erscheinen einige von Bolte und Polívka angeführte Varianten, in denen diese Episode sich nicht auf einen bis dahin nicht erwähnten Diener, sondern auf die Braut selber bezieht. In einer Erzählung ›aus dem Paderbörnischen‹ scheidet der getreue Heinrich aus. Der erlöste Königsohn verläßt die Braut vorübergehend. Er schenkt ihr ein Tuch, worin sein Name rot geschrieben ist; wenn der schwarz werde, so sei er tot oder ungetreu. Tatsächlich wird der Name eines Tages schwarz. In verkleideter Gestalt reitet die Braut mit ihren beiden Schwestern davon. Sie suchen den Königsohn und verdingen sich bei ihm. Als sie eines Tages hinter dem Wagen des Königsohnes und seiner falschen Braut reiten, hört dieser unterwegs ein lautes Krachen und ruft: »Halt, der Wagen bricht.« Da antwortet die rechte Braut: »Ach nein, es bricht ein Band von meinem Herzen.« Als sich das noch zweimal wiederholt hat, erkennt der Königsohn das Mädchen, er hält Hochzeit mit ihm. Dieser Schluß erscheint uns angemessen, und überdies bekommt das Märchen auf diese Weise seine Vollform: Es wird zu einem Märchen mit zwei Sequenzen, die erste Sequenz bricht kurz vor der glücklichen Vereinigung der Helden ab[113].

Die Funktion der Handlungspersonen

Dingsymbolik: die goldene Kugel –
der Brunnen

Abgesehen von den Personen – Frosch, Prinzessin, königlicher Vater, eiserner Heinrich – sind immer wieder auch die Dinge des Märchens gedeutet worden: die goldene Kugel ebenso wie der Brunnen und sogar der von Wilhelm Grimm erst hinzuerfundene Lindenbaum.

Da ist zuvörderst die goldene Kugel, die die Phantasie der Märchendeuter erregen mußte. Es ist immerhin auffallend, wie sehr der Königstochter an der goldenen Kugel liegt, obwohl sie alle anderen Reichtümer in Hülle und Fülle besitzt und diese dem Frosch auch als Ersatzleistung anbietet[114]. Die Königstochter ist bereit, nicht nur ihre Kleider und Perlen, sondern auch Edelsteine und ihre goldene Krone dafür einzutauschen. Somit muß in der Kugel etwas mehr stecken als nur der Wert ihres Metalls. Vielleicht ist sie ein Symbol des Selbst und der inneren Reife, wie Agnes Gutter vermutete[115]. Man denkt dabei unwillkürlich an die Lobpreisungen der Kugel oder des Balles als Spielzeug, wie sie der große Pädagoge Fröbel beschrieben hat: Die Kugel als einfachster Körper: Sie ist maximale Einheit bei maximaler Mannigfaltigkeit und insofern für die Fröbelsche Pädagogik das Prinzip des Universums.

In KHM 1 ist die goldene Kugel ganz offensichtlich mehr als nur ein Wertgegenstand oder ein Spielzeug. Dramaturgisch gesehen bringt sie im wörtlichen wie übertragenen Sinne die Geschehnisse »ins Rollen«: Die Kugel rollt zu einem Partner. Sie stellt eine Beziehung her: »... Die Kugel rollt dem einen fort und zu dem anderen hin. Jener gibt sie dem ersten zurück, in ständigem Wechselspiel der Partner, die sich suchen und finden, auch wenn sie sich meiden möchten ...«[116] Ganz ähnlich wie im Kinder- oder Gesellschaftsspiel das Zuwerfen eines Balles zuweilen als versteckte Liebeserklärung gilt. Kurt Ranke hat in diesem Zusammenhang von Ball und Kugel als »Kontaktmedien« gesprochen[117]. In KHM 1 will das Mädchen den Ball wieder zurückhaben; sie will sich noch nicht verschenken.

»Was sich im Sinne der Freudschen Psychologie als eine vom Unbewußten gesteuerte Fehlhandlung, ähnlich dem Verlieren, Vergessen, Verwechseln usw., manifestiert, erweist sich andererseits als ein wenn auch ungelenker Schritt hinaus aus dem bisherigen Zustand und Bereich, als ein Tasten nach den Möglichkeiten des Lebens mit seinen Versprechungen und Erfolgen, aber auch mit seinen Abgründen und Schrecken.«[118]

Andere Interpreten sehen in dem verlorenen goldenen Ball die verlorene goldene Welt der Kindheit, der Unschuld[119]. Für Jellouschek[120] verkörpert eine goldene Kugel »den höchsten Wert unseres Lebens«. Am Anfang des Märchens steht eine scheinbar heile Welt. Die Kugel ist das Symbol der Ganzheit, und daß es eine goldene Kugel ist, deutet die Vollkommenheit dieser Ganzheit an[121]. Ähnlich urteilte schon Bruno Bettelheim:[122] »Der Ball steht für eine noch unentwickelte narzißtische Psyche: Er enthält alle noch nicht realisierten Möglichkeiten. Als er in den tiefen, dunklen Brunnen fällt, geht die Naivität verloren, und Pandoras Büchse öffnet sich. Die Königstochter beklagt den Verlust ihrer kindlichen Unschuld ebenso verzweifelt wie den Verlust ihres Balls. Nur der häßliche Frosch kann ihr die Vollkommenheit – den Ball – aus dem Dunkel zurückholen, in das das Symbol ihrer Psyche gefallen ist. Das Leben ist häßlich und kompliziert geworden, nachdem es angefangen hat, seine dunklen Seiten zu enthüllen.«

Solche Interpretationen finden eine gewisse Stütze in der vergleichbaren Rolle, die ein goldener Ball in einem anderen Grimmschen Märchen spielt, nämlich im ›Eisenhans‹ (KHM 136). Auch hier geht der goldene Ball als Spielzeug verloren; er rollt in einen Brunnen, aus dem ihn ein übernatürliches Wesen zurückbringt, in dessen Gewalt der Held gerät. Entsprechend geht es hier um eine Art männlicher Initiation[123].

Zweifellos ist der ›goldene Ball‹ aber auch überinterpretiert worden. Zwei Beispiele mögen dies veranschaulichen. Ortrud Stumpfe versucht, ausgehend von der goldenen Kugel, eine eher ganzheitliche Deutung des Märchens, und ihr Interpretationsvorschlag mag hier immerhin zitiert werden:[124] »Der ›goldene Ball‹, Symbolum des Kräftegleichgewichts der Lichtwirkungen in der Materie, parallelförmige Innenstruktur des Erd-Balls, muß wiedergewonnen werden aus dem Dunkelreich der Erde. Der Frosch: Das ist eine Wassertropfengestalt, ganz rund, nur Bauch, zwischen wässriger und fester Gestaltzone im Austausch lebend auf feuchter Erde oder in sumpfigem Wasser, den Stoffwechselvorgängen also dämmrig hingegeben, sie nur umhüllend. Aber der Mensch muß daraus das Wirken der Sonnenkräfte entziffern. Die Prinzessin darf nicht nur träumerisch am Brunnen im tiefen Wald sitzen und dem Licht zusehen. Dort entgleitet der Lichtball ihren Händen, sinkt in die Tiefen, ins schöne

»…hatte die Kugel im Maul und warf sie ins Gras.« Federzeichnung von Josef Hegenbarth zu: Märchen der Brüder Grimm, Leipzig 1976

vegetative Gestaltweben hinein. Die Prinzessin muß nun – so fordert es der Frosch mit dem Ball – diese Sphäre dicht an sich heran holen, in ihren wachen Tag und die rhythmischen Nächte hinein, und endlich, als sie sich fast überwältigt fühlt von der fremden unbequemen Zumutung, muß sie die Wand mit Gewalt durchbrechen, um die Gestaltrhythmen des Lebendigen wirklich zu erkennen. (»Schlaf ist Schale – wirf sie fort!« singt Ariel zu Faust hin). Sie muß den Frosch an die Wand werfen, heißt es im Bild, und es ist auch wieder ein Musterbeispiel dafür, daß man Märchenbilder nicht starr naturalistisch nehmen darf. Es sind Bilder für psychologische Urgesetze, und hier fühlt man sich erinnert an die Forderung des Christus: ›Das Himmelreich will mit Gewalt erobert werden.‹ Die mit dem Willensentschluß durchbrochene Wand zwischen Mensch und Naturwirken offenbart die geordneten Zusammenhänge, die Lichtstruktur, und so ist ›der Prinz‹ in der Seele geboren, die geistige Durchschaukraft. Der ›treue Diener‹ im Menschen aber seufzt entspannt auf, der Bann ist gebrochen, das Tor geöffnet ins Freie, die starren Klammern springen vom Pulsschlag ab. Immer ist in den Frosch-Märchen ein Impuls willenhaften Zielens enthalten.«

Freudianische Deutungen sehen in der goldenen Kugel ein Sexualsymbol: »In dem Märchen spiegelt sich die jungfräuliche Welt in einer goldenen Kugel, mit der das Mädchen spielt und die ihr liebstes Spielwerk ist …«

…»Das Mädchen spielt mit einer Kugel aus purem Gold. Sie ist golden und rein wie das Bild eines unberührten Mädchens …«[125]

Etwas weniger harmlos interpretiert Jankowski[126]:

Nach Sigmund Freud können Spiele aller Art Onanie bedeuten[127]. Unter dieser Voraussetzung könnte die Kugel die Klitoris bedeuten, mit der die Königstochter, wenn sie Langeweile hat, an ›heißen Tagen‹ so gerne spielt. Das Wort ›heiß‹ wird in Umgangssprache und Poesie gerne zur Bezeichnung erotischer Erregung gebraucht. Eine solche Interpretation würde verständlich machen, warum die Königstochter auf die goldene Kugel viel mehr Wert legt als auf die Anzahl anderer Spiel- und Wertsachen, die sie sich doch auch leisten könnte. Die Klitoris ist gewissermaßen das Spielzeug an und für sich. Wenn die goldene Kugel in den Brunnen fällt, mag dies den Vorgang verschlüsseln, daß das Kind beim Onanieren zufällig die Vagina entdeckt. Diese Schlußfolgerung erscheint nicht so abwegig, wenn man die Funktion des Brunnens aus anderen Märchen vergleichsweise heranzieht. Im ›Storchenmärchen‹ werden die Kinder aus dem Brunnen geholt. Im Märchen von ›Frau Holle‹ (KHM 24) wäscht die Heldin ihren von einer Spindel blutig gewordenen Finger; die Spule fällt in den Brunnen, und das Mädchen wird wegen seines ›Unglücks‹ von seiner Stiefmutter heftig gescholten. Durch den Brunnen kommt sie aber zu einer schönen Wiese. Akzeptiert man das Spiel der Königstochter als Onanie, fällt es auch nicht mehr schwer, die Herkunft des Frosches zu erklären. Es ist der beim Onanieren hinzuphantasierte Sexualpartner. Daß es sich um einen Frosch (Schlange etc.) handelt, also eher um ein Penissymbol, kommt daher, weil er bei der vaginalen Onanie entdeckt bzw. phantasiert wurde. So wird auch erklärlich, warum, sobald der Frosch einmal aufgetaucht ist, von der goldenen Kugel keine Rede mehr ist. Rückt der Koitus einmal in Sichtweite, so verliert die Klitorisonanie an Interesse[128]. In der folgenden Szene beim Essen wird die Königstochter von Ängsten und Schuldgefühlen geplagt, und sie vermutet zu Recht, der Vater wüßte von ihrem Spiel, was sich durch seine Frage ›mein Kind, was fürchtest du dich, steht etwa ein Riese vor der Tür und will dich holen?‹ ausdrückt. So bekommt das erzählerisch blinde Motiv in dieser Sicht doch etwas psychologisch Sinnvolles[129].

Man mag nun freilich solchen Interpretationen mit Recht entgegenhalten, daß sie auf zufälligen, dekorativen Details aufbauen, daß sie darum für einen Erzähltyp keineswegs signifikant oder zwingend und damit auch nicht allzu beweiskräftig sind, ganz abgesehen davon, daß Symbole immer vieldeutig bleiben[130]. Kein Zweifel, daß für den

»...und über ein Weilchen kam er wieder heraufgerudert.« Holzschnitt von Alfred Zacharias zu Grimms Märchen, München o. J. (ca. 1948)

Autor und wohl auch für viele seiner Leser eine solche Deutung eine subjektive Evidenz besitzt. Ich selbst habe prinzipiell methodische Bedenken gegen diese Methode: Hier wird einzelnen, zufälligen und durchaus auswechselbaren Gegenständen oder Motiven eine grundsätzliche Schlüsselfunktion im Märchen als solchem eingeräumt, wie hier z. B. der goldenen Kugel und dem lediglich Wilhelm Grimmschen Wort ›Spielwerk‹, dem Vorgang, daß die Kugel ins Wasser rollt, in einen Brunnen usw. Dies alles sind für die Märchengesamthandlung im Grunde unwichtige und wie gesagt auswechselbare Elemente, die andere Erzähler weglassen oder völlig anders gestalten könnten. Und sie haben es auch getan: In anderen Varianten ist die Kugel nicht golden, sondern steinern[131]. Oft genug geht es überhaupt um keine Kugel, sondern um einen Ring, um ein Armband oder sonst ein Schmuckstück. In anderen Fassungen, die bereits den Brüdern Grimm bekannt waren, gibt es weder eine goldene Kugel noch ein Spielzeug, das in den Brunnen fällt. Vielmehr hängt es dort von dem Frosch ab, ob die Königstochter aus dem Brunnen schönes klares oder nur trübes Wasser schöpfen kann[132]. Überhaupt ist die den Ausgang bildende Notsituation der Frau von Variante zu Variante recht verschieden: In einer mecklenburgischen Fassung hilft der Frosch dem vom Königshof verjagten Bauernmädchen über ein großes Wasser[133]. So haben alle aufgeführten Spekulationen über die goldene Kugel oder den Brunnen aus KHM 1 eine nur sehr subjektive Gültigkeit[134].

Nicht viel besser als der goldenen Kugel ist es dem Brunnen als Opfer phantasiereicher Deutungen gegangen. Ein Brunnen ist mehr als nur ein Bach oder Fluß, und so nennt Hedwig von Beit seinen Rand den ›Eingang zum Unbewußten‹.[135] Der Brunnen ist ein Bild für ursprünglich kalt und tief, zumal wenn man Wilhelm Grimms romantische Beschreibung auf sich wirken läßt: »Der Brunnen war tief, so tief, daß man keinen Grund sah«. Für Agnes Gutter ist der Brunnen darum ein ausgesprochenes Muttersymbol: »Der Frosch kommt aus dem Brunnenschacht ans Tageslicht gekrochen: eine zweite Geburt beginnt damit.«[136] Auch nach B. P. Schliephacke[137] führt der Brunnen »in die Mutterwelt der Ursprungsmächte«, und neben ihm steht der »Weltbaum, die Verkörperung des Lebens«, d. i. die alte Linde, von der wir allerdings wissen, daß erst Wilhelm Grimm sie als romantische Kulisse in das Märchen eingeführt hat. B. P. Schliephacke macht aus dem Froschkönig sogar einen alten Brunnengeist, der sein Wissen »aus Urwassertiefen« schöpft. Die fast mythische Bedeutung des Brunnens heben z. T. auch die Illustrationen hervor. So gibt der Brunnen in Ubbelohde-schen Illustrationen sein Wasser aus dem Mund einer männlichen Brunnenfigur, so daß schon deutlich wird: der Frosch als Repräsentant dieses Brunnens ist kein gewöhnlicher. Eine handlungstragende Rolle spielt das Motiv des Brunnens allerdings erst, wenn der Brunnen – wie das beispielsweise in einer von Joseph Jacobs (1854–1916) veröffentlichten Fassung der Fall ist – am Rande der Welt liegt, und der Vater der Reihe nach seine drei Töchter aussendet, um einen Becher vom Wasser des Lebens für ihn zu holen. Der Frosch im Brunnen am Rande der Welt läßt nur die jüngste Tochter reines Wasser schöpfen, denn sie verspricht, ihn zum Mann zu nehmen[138]. So zeigt sich auch hier, daß die Beweiskraft von psychologischen Deutungen sehr subjektiv und im Kontext oft nur an einzelne Fassungen gebunden ist, keineswegs als allgemeinverbindlich gelten muß.

Das Märchen vom Froschkönig ist immer und immer wieder hochgeschätzt und deshalb auch oft interpretiert worden, wobei allerdings immer nur die Grimm-Fassung zugrunde gelegt wurde. Gerade weil dieses Märchen von den Brüdern Grimm so stark bearbeitet wurde, hat es zu so vielen Deutungen Anlaß gegeben; aber um so eher sind sie lediglich für die Psyche des Bearbeiters Wilhelm Grimm aufschlußreich. Bei der Interpretation anderer Varianten brechen diese Interpretationen mehr oder weniger in sich zusammen. Nehmen wir nur als ein beliebiges Beispiel das von Ulrich Jahn in Mundart aufgezeich-

»Ach ja«, sagte sie, »ich verspreche dir alles …« Zeichnung von Otto Ubbelohde zu den Kinder- und Hausmärchen, Band 1 Leipzig 1907

nete und zweifellos authentische pommersche Märchen ›De Koenigin un de Pogg‹[139] (Textvariante Seite 95). König und Königin haben sich sehr lieb; doch eines Tages muß der König in den Krieg ziehen, und die Königin bleibt allein auf dem Schloß zurück. Eines Tages fällt ihr beim Waschen ihr Ring ins Wasser; dabei wird sie das Gefühl nicht mehr los, ihr Mann sei nun tot. In ihrem Leid kommt »een groot Pogg« und bietet ihr an, ihr den Ring wiederzubringen, allerdings mit einem nicht geringen Versprechen: »du sast mij too dinnem Mann neeme«. Der Frosch bringt den Ring zurück und begehrt dann im Schloß die Einlösung ihres Versprechens. In dem Augenblick, in dem die Heldin »mit spitzem Mäulchen« den Frosch küßt, gibt es einen großen Knall, und ihr lieber Mann steht gesund und munter vor ihr. Während des Krieges war er von einer bösen Hexe in einen Frosch verwandelt worden und nur durch einen Kuß sollte er wieder erlöst werden können. Da schwamm er durch alle Gewässer bis zu seiner Frau: »Denn dat hadd he sik glijk dacht, dat em nij en Miesch als sijn eigen Frau ne Puss geewe würr.«

Keine jugendliche Sexualität, kein Reifungsprozeß, kein Tierbräutigam, sondern das hohe Lied der Gattentreue!

Nachdichtung und literarische Bearbeitung

Das Froschkönig-Märchen in der Literatur

Das Märchen vom Froschkönig hat nicht nur Märchenforscher zu Interpretation und Deutungen angeregt, sondern auch Dichter und Schriftsteller, Kinderbuchautoren, Parodisten und Cartoonisten verlockt, sich mit diesem Stoff zu befassen. Einer der ersten Umdichter und -zeichner des Märchens war Wilhelm Busch in seiner Bildgeschichte »Die beiden Schwestern«[140]. Im 20. Jahrhundert werden die Akzente anders geetzt. Die flächenhafte Unverbindlichkeit und eindimensionale Ungeschichtlichkeit des Grimmschen Zaubermärchens wird nun bewußt gebrochen. Eine unter den Nachdichtungen sei besonders hervorgehoben: ein Gedicht der 1975 verstorbenen Dichterin Marie Luise Kaschnitz mit dem Titel »Bräutigam Froschkönig«[141] (siehe Seite 124). Das Motiv des häßlichen, ungeliebten und erlösungsbedürftigen Tierbräutigams wird hier zum Bild des Mannes in einer kriegerischen und männlichen Welt, die der

Umschlagbild zu Erotische Märchen, hrsg. von Peter Schalk, München 1973 (Heyne Exquisit Bücher Nr. 72)

Erlösung zum Menschlichen bedarf. Die Frau repräsentiert dieses Menschliche; sie verkörpert das Leben (›Jungfrau Leben‹). Doch eine Erlösung, d. h. eine Annäherung auf der gleichen menschlichen Ebene findet nicht statt. Während das Märchen nur Handlung bringt, versetzt sich hier eine Frau in die Lage der Prinzessin und ihre widersprüchlichen Gefühle.

Das Zaubermärchen und speziell die Tierbräutigam-Erzählungen verlangen ihrem Wesen nach die Erlösung. Doch Lyrik unserer Zeit, die sich des Märchens als Thema bedient, übernimmt oft nur die Erlösungssehnsucht des Märchens, ohne Erlösung in der Realität des Lebens wiederfinden zu können.

In seiner Ausgabe von Märchengedichten hat Wolfgang Mieder[142] dieses und andere Froschkönig-Gedichte, u. a. von Franz Fühmann, Frank Zwillinger, Günter Bruno Fuchs, Gerhard C. Krischka und Armin Steinecke zusammengestellt. Weitere Froschkönig-Gedichte in englischer Sprache hat Wolfgang Mieder in seiner ›Anthology of Modern Fairy Tale Poetry‹ kompiliert. U. a. geht es um ›Frog-Prince‹-Gedichte von Sara Henderson Hay, Robert Graves, Stevie Smith, Hyacinthe Hill, Phyllis Thompson, John N. Miller, Anne Sexton, Phoebe Pettingell, Elizabeth Brewster, Paul R. Jones, Susan Mitchell, Robert Pack und Galway Kinnell. Einige Gedichte artikulieren die Wünsche des Froschkönigs, andere identifizieren sich mit der Heldin des Märchens.

Ein Gedicht der amerikanischen Lyrikerin Anne Sexton ›The Frog-Prince‹[143] sei besonders hervorgehoben. Es begnügt sich nicht damit, nur den Inhalt des Froschkönig-Märchens nachzuzeichnen, sondern gibt zugleich eine psychoanalytische Deutung. Die Dichterin versucht, sich in die Lage der Prinzessin zu versetzen und ihre widersprüchlichen Gefühle zu schildern. In einer sehr bildhaften Sprache kommt eine starke Berührungsangst vor dem Frosch zum Ausdruck, nicht nur weil er als männlich empfunden wird, sondern weil auch sonst alle möglichen Widerwärtigkeiten mit ihm assoziiert werden. Vor allem in den expressiven Anfangspassagen des Gedichts wird die Froschfigur physisch wie psychisch seziert.

In diesen Gedichten geht es um Liebeserfüllung, Hoffnung und Verzweiflung. Sie zeigen auch das Froschkönigspaar aus der Perspektive seiner Umgebung, insbesondere seiner engeren Familie, und sie sehen es auch aus der Perspektive all der vielen anderen Frösche, die keine Chance haben, sich in einen Prinzen zu verwandeln und nie die Möglichkeit finden, ihren Brunnen zu verlassen,

Nachdichtung und
literarische Bearbeitung

»Nun mach schon, Lustmolch!«

55

um jemals die Welt des Schlosses erleben zu dürfen. Die
Gedichte wollen all denen Hoffnung geben, die ihren
goldenen Ball verloren haben oder jemals als Frösche in
einem dunklen Sumpf herumgeschwommen sind.

Unter den literarischen Prosabearbeitungen unseres
Typs ragt eine Kurzgeschichte von Johannes Mario Simmel hervor[144], die übrigens einem mündlich weit verbrei-
teten volkstümlichen Froschkönig-Witz entspricht[145].
Der Titel lautet ›Märchen 1951‹ (siehe Seite 125).

Die Frosch-Motivik findet sich mehrfach im Werk
Johannes Mario Simmels und hat offenkundig autobio-
graphischen Charakter: Unter dem Eindruck einer großen Liebe verwandeln sich zwielichtige Charaktere in
noble Wohltäter, werden häßliche Frösche zu schönen
Prinzen. Wenn sich die Frösche endlich in Prinzen verwandelt haben, stellen sie fest, daß sie sich an einem Ort
befinden, der Prinzen eben nur in Märchenbüchern dul-
det[146].

Ebenfalls ins Humoristische schlägt die Erzählung Astrid
Lindgrens ›Immer lustig in Bullerbü‹[147] (siehe Seite 133).
In einem großformatig-aufwendigen Handpressendruck
erschien 1975 in einer begrenzten Auflage von 350 Exem-
plaren Walter Hasenclevers Polit-Satire ›Der Froschkönig‹, 35 Jahre nach dem Tod des Verfassers[148].

Walter Hasenclever (1890–1940) stand schon auf der
ersten Liste ausgebürgerter und verbotener Schriftsteller
(vom 23.4.1933). Goebbels reihte seine Werke unter die
Schmutz- und Schundliteratur ein, und es muß Hasenclever gereizt haben, sich mit satirischen Waffen gegen
den Nationalsozialismus zur Wehr zu setzen. Das kurze,
in szenischen Auftritten gestaltete Stück ist voll von
Anspielungen auf Personen der Zeitgeschichte von 1932,
auf Politiker und Theaterkritiker, auf Regierungskrisen,
auf Ämterkorruption, auf Finanzschieber und Börsenspe-
kulanten. Der verlorene goldene Ball erweckt Reminis-
zenzen an das in der Inflation verlorene Geld. Der Ver-
sailler Vertrag spielt herein, wenn der alte König sagt:
»Vertrag ist Vertrag, und was man versprochen hat, muß
man auch halten.«

Der »aus dem Untergrund« auftauchende Frosch erinnert an »die unterirdischen Mächte, die den christlichen
Staat untergraben«. Er tritt auf in der Maske von Joseph
Goebbels. Was er Großes an sich hat, ist im wesentlichen
sein Maul, das aber durch die krummen Beine wieder rela-
tiviert wird. Der Frosch versucht, die Prinzessin mit deren
verlorenem goldenen Ball zu erpressen, indem er auf eine
Notverordnung aufmerksam macht, wonach es verboten

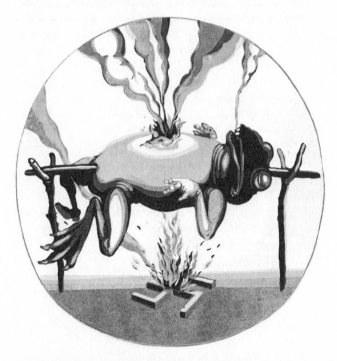

Zwei Illustrationen von Wolfgang Jörg und Erich Schönig zu
Walter Hasenclever. Der Froschkönig. (Schauspiel) restauriert von
Peter Hacks, Berlin 1975 (Berliner Handpresse)

ist, Edelmetalle und Devisen zu besitzen: »Alles Gold muß der Reichsbank abgeliefert werden.« Den Heirats-antrag des Frosches lehnt die Königstochter zunächst brüsk ab: »Ausgeschlossen, kommt gar nicht in Frage, ich bin eine deutsche Prinzessin und heirate keinen Frosch.« Dann aber verliebt sie sich unversehens doch in ihn, und es kommt auch hier zu einer Umkehr gegenüber der Mär-chen-Erwartung: Der Frosch ziert sich, während sich die Prinzessin den Geliebten einfängt, und es ergibt sich eine politische Ehe von Adel, Kapitalismus, Nationalismus und Froschbürgertum. »In der Maske des Goebbels gewinnt der Frosch an trivialer Tücke und Falschheit ... In der profanen Parodie wird das Böse in der Maske des Propa-gandisten und Reklamechefs für Böses durch Lächerlich-keit gemeistert.«

Als literarisches Symbol und als Metapher kommt der Froschkönig auch in Musils »Der Mann ohne Eigenschaf-ten«[149] vor. Geträumtes Tierbräutigam-Märchen als unbewußte Spiegelung eines ehelichen Verhältnisses.

Die tiefere Bedeutung des Tierbräutigammärchens als Spiegelung der Problematik menschlicher Partnerschaft wird in Musils Anspielung auf den Froschkönig deutlicher als in mancher psychologischen Untersuchung. Walter und Clarisse sind ein Ehepaar. Sie hat ihn genommen, weil sie nur mit einem Genie verheiratet sein wollte. Dann allerdings hat sich herausgestellt, daß er sehr durch-schnittlich ist. Der Mann leistet nicht das, was sie sich erträumt hat. Ihr Wesen ist kühl und streng; sie mag nichts Schwülstiges. Darum eben nennt sie ihn Froschkö-nig, weil sie hinter ihm zunächst einen außergewöhnli-chen Menschen vermutet hat, der aber nicht in ihm steckte. Clarisse ist besessen von der Idee, der Welt einen Erlöser zu gebären. Für Walter seinerseits verbin-det sich das erotische Begehren nach Clarisse mit der Musik[150].

In den ›Paralipomena zum Froschkönig‹ von Barbara König[151] erhält das Anhängsel von den abspringenden Banden des eisernen Heinrich eine völlig neue Motiva-tion und ein eigenes Gewicht (siehe Seite 129).

Bei dieser Version genügt der Heldin das Abwerfen der Froschgestalt und die Verwandlung des Froschkönigs zum Menschen noch nicht zum Glück. Sie will vielmehr wissen, ob der Mann, den sie aus Liebe erlöst hat, auch durch Liebe verzaubert worden ist.

Weitere Buchtitel können nur aufgeführt werden wie z. B. Mathias Richling: Ich dachte, es wäre der Froschkö-nig[152]; Heinz Langer: Grimmige Märchen[153] oder die

Erzählung von Arne Piewitz ›Ich war der Märchenprinz‹.[154] Hier wird ein ausgesprochen unmännlicher
Mann gesucht.

In einem Vortrag von 1980, »The Beast, the Mermaid and
the Happy Ending«, untersucht Carolyn See, wie oft das
Motiv von der Schönen und dem Tier (Amor und
Psyche) in Gegenwartsromanen vorkommt. Alix Kate
Shulmans »Memoirs of an Ex-Prom Queen«, Sylvia
Plaths »The Bell Jar« und Alison Luries »War Between
the Tates« stellen Frauen dar, die sich in einen tierhaften
Mann verlieben, nur um zu erfahren, daß er nicht der
Prinz sein wird, auf den sie warten. Die Frauen brechen
aus einem Verhältnis aus, um ihr Schicksal in die Hand zu
nehmen, oder sie gehen unter, und dadurch enthüllen die
Romane – so sieht es Carolyn See – die patriarchalische
Lüge des Happy-Ends im klassischen Märchen[155].

Im Zeitalter der Frauenemanzipation und des Feminismus ist es nur allzu begreiflich, daß ein Bedürfnis besteht,
die fixierten Rollenerwartungen auch im Märchen einmal
auszutauschen, und so entstehen ausgesprochene
Gegengeschichten. Während im Grimmschen Märchen
Nr. 1 die Königstochter ohne Zweifel die Hauptperson
ist, ihr Verhalten und ihr Schicksal die Perspektive der
Erzählung ausmachen, läßt sich unser Märchen natürlich
auch aus der Froschperspektive betrachten. Aus dieser
Sicht verfolgt die wohlbekannten Geschehnisse der
»ersten Nacht« ein fiktives Interview von H. G. Fischer-
Tschöp[156] (siehe Seite 140). »Aus der Froschperspektive« ist auch der Titel einer Umerzählung von Johann
Friedrich Konrad, die sich auf Seite 142 findet. Daneben
seien noch die Titel »Froschkönig – Von einer Emanze
erzählt«[157] (siehe Seite 146) oder auch »Froschkönigs
Bettkarriere«[158] erwähnt.

Auf dem Theater ist der Froschkönig eines der beliebte-
sten Weihnachtsmärchen, das in zahllosen dramatischen
Fassungen immer wieder kindertümlich bearbeitet worden ist. Doch gibt es auch seriöse Stücke, die sich an den
Erwachsenen wenden, z.B. das von Herbert Achternbusch:[159] Hier erinnern sich der Frosch ebenso wie seine
Freundin Susn retrospektiv an die Geschehnisse damals
am Teich, insbesondere an die schöne Zeit, bevor sie sich
kennenlernten.

Paraphrasen auf KHM 1 zu schreiben, ist fast eine literarische Mode geworden. Immer wieder versuchen die
Autoren, in diesem Märchen Vorgänge bewußt und
sichtbar zu machen, die die überlieferten Geschichten im
Verborgenen ließen, oder dem vorgegebenen Märchen

Umschlagbild nach einem Foto von Eobald.
Hamburg 1983

neue Akzente abzugewinnen. Sie versuchen, das Märchen zu psychologisieren, alte Motivationen durch moderne zu ersetzen. Alle Nachdichtungen und literarischen Abwandlungen haben – so verschieden sie auch die Grimm-Erzählung auffassen und umgestalten – doch eines gemeinsam: Sie haben erfaßt, daß es im Froschkönig-Märchen um eine problematische und schicksalhafte partnerschaftliche Begegnung geht. Das Tierwesen, mit dem man Kontakt aufgenommen hat, entspricht nachher nicht den Erwartungen, die man zuvor daran geknüpft hat. Im Unterschied zu der Königstochter unseres Märchens, die unbewußt und zufällig den Frosch erlöst, sind die Heldinnen der literarischen Bearbeitungen sehr viel bewußter; sie bringen den Erlösungsversuch in voller Kenntnis seiner Möglichkeiten in Gang. Doch nachher geht es fast immer anders aus, als erhofft. Die Erwartung erfüllt sich nicht[160].

Das Froschkönig-Märchen in der Werbung

In der Werbung sind Bilder und Texte mit dem populären Froschkönig sehr beliebt, z. B. in der Bankwerbung: Die goldene Kugel der Prinzessin, die sich beim Froschkönig in sicherem Gewahrsam befand und die er der Prinzessin wiederbringt, ist für die Reklame ein sehr brauchbares Märchenbild für den Vorgang des Sparens. Eine Brunnenplastik an der Freiburger Sparkasse zeigt den Froschkönig mit demselben Symbolgehalt, um für die Idee des Sparens zu werben. Zum Ausdruck gebracht werden soll, daß das Geld bei der Sparkasse nicht ›in den Brunnen geworfen‹ ist.

Als Titelbild eines Kochbuchs bekommt der Froschkönig einen neuen Kontext: In diesem Kochbuch werden Bissen, die eigentlich sonst nur für eine königliche Tafel bestimmt sind, sogar einfachen und sozial niedrigstehenden Leuten zugänglich gemacht. Für diese steht repräsentativ der Frosch, der eben auch einen Anspruch auf Leckerbissen hat – wie im Märchen.

Ein Frosch mit einer Krone wie im Markenzeichen der Firma Erdal ist gleichfalls schon eine Anspielung auf das Märchen: Schuhwichse – d. h. auch etwas ›Niedriges‹ – wird dadurch königlich aufgewertet.

Eine japanische Automobil-Firma warb in den USA mit

Der Erdal-Frosch

Auf dem Plakat macht Alpia-Schokolade aus dem Froschkönig einen süßen Prinzen.

einem Werbefilm: Ein Frosch erschien auf dem Bildschirm; dann gab es eine Explosion, und der Frosch verwandelte sich in einen ›Subaru‹.

Auf einem anderen Cartoon einer Mineralöl-Firma erscheint der Frosch als Beifahrer im Auto. Darauf fragt der Tankwart die Fahrerin: »Fräulein, brauchen Sie auch Froschschutz?« – Sei kein Frosch – spiel Squash! (Plakat eines Sportvereins).

Die Verse des »Eisernen Heinrich« sind in der Gegenwart zu einem Autofahrer-Slogan umgeprägt worden:

Heinerich, der Wagen bricht.
Ohne Räder fährt er nicht.

Schweizer Werbung für naturreinen Apfelsaft

Froschkönig-Witze, Parodien und Travestien

Mit diesen Beispielen aus der industriellen Reklame befinden wir uns bereits im Bereich der Parodie und des Witzes. Auch hier erlebt das naive Märchengeschehen fast stets eine psychologische Reflektion und Brechung. Janoschs Froschkönig[161] ist eine Kontrafaktur, in der jede Einzelheit des Grimmschen Märchens übersetzt ist in eine Anders-Märchenwelt, in der nicht der häßliche Frosch ein verwunschener Prinz, sondern das häßliche Mädchen eine verwunschene Froschprinzessin ist. Die Gründe für Parodierung sind mannigfaltig. Wenn – wie bei Janosch – nur einfach die Geschlechterrollen ausgetauscht werden, so steht dahinter wohl auch das Mißvergnügen, daß diese im traditionellen Märchen oft auf eine patriarchalische Weise fixiert sind.

Vielfach handelt es sich dabei um Bildwitze, um Cartoons. Die Froschkönig-Witze machen die unbewußterotischen Vorgänge des Märchens bewußt. Zugleich verändern sie grundsätzlich den Ausgang. Märchen-Cartoons und Märchen-Witze ziehen die vielepisodige Märchenerzählung in wenige Bildfolgen oder gar in eine einzige Momentaufnahme zusammen. Fast immer besteht die Pointe darin, daß das traditionelle Element des Zaubermärchens in einen unerwarteten Kontrast zu rationalen Überlegungen tritt. In knappen Umrissen wird das wohlbekannte Märchen z.B. so wiedergegeben: Eine Prinzessin findet einen Frosch und küßt ihn. Da verwandelt er sich in einen schönen Prinzen, und sie leben glücklich und zufrieden, bis sich herausstellt, daß der Prinz im Grunde doch ein Frosch geblieben ist; mit seiner langen Zunge – ein Relikt seiner Froschexistenz – stellt er noch

Bilderstory aus Harper's Magazine (April 1967). Es war einmal eine Prinzessin, die einen Frosch fand ... und ihn küßte.

immer den Fliegen nach. Die Humanisierung des Frosches bewirkt zugleich eine ›Verfroschung‹ des Menschen.

In anderen Versionen findet eine Prinzessin einen Frosch. Sie küßt ihn. Es gibt einen großen Knall, aber statt zweier liebender Menschen sitzen nun zwei Frösche im Gras.

Eine Prinzessin küßt einen Frosch. Er verwandelt sich in einen Prinzen. Als er sie wieder küßt, verwandelt sie sich in einen Frosch. Die allzu große Annäherung an das Niedrige führt also dazu, daß die Erlöserin (oder auch der Erlöser) selbst zum Frosch wird[162].

In einer weiteren Version bleibt der Frosch ein Frosch. Auch nachdem die Prinzessin ihn mit sich ins Bett genommen hat, verwandelt er sich zu ihrem Leidwesen noch immer nicht in den erhofften schönen Prinzen. Die moderne Karikatur denkt sich also einen völlig anderen als den gewohnten Märchenausgang aus: die frustrierte Prinzessin, die sich in ihren Hoffnungen getäuscht sieht, ist Gegenstand unseres schadenfrohen Lachens. Mit dem Zusammenbruch des Erwartungshorizontes wird eine komische Wirkung erzielt.

Der Froschkönig kehrt wieder zu seiner angetrauten Fröschin, zu seiner Familie und zu seinen Kindern zurück, oder er wird nur halb erlöst und beklagt sich über den nur mangelhaften Kuß der Prinzessin. Fast durchgängig findet eine Sexualisierung statt: Das Tierbräutigam-Märchen wird in seiner sexualpsychologischen Bedeutung erfaßt, oder zumindest wird ihm eine solche unterstellt. In anderen Fassungen (›Playboy‹) muß der bereits in einen hübschen Königsohn verwandelte Frosch feststellen, was für eine hängebusige, schreckliche Alte da aus ihren Hüllen steigt und zu ihm ins Bett will. »Das Ganze zurück«, lautet der unterlegte Text, »ich möchte sofort

Da ward er ein Prinz. ... Lästig nur, daß er eine Macke aus seinem früheren Leben behielt.

wieder ein Frosch sein«. Oder er springt entsetzt davon, als er feststellen muß, daß seine ›Erlöserin‹ dick, fett und alt ist. Das gleiche gibt es auch mit umgekehrten Geschlechterverhältnissen: Der verwandelte Prinz ist ein buckliger, zahnloser Alter, der sich nur mühsam an zwei Stöcken bewegen kann[163].

Das Geschehen wird psychologisch reflektiert, z. B.: Die Königstochter hat einen Froschmann geheiratet. Die ganze königliche Familie und der Hof wissen es, nur das Mädchen meint, es hätte einen Prinzen bekommen. Oder: Die Prinzessin hat den Frosch in der Hand. Er hat sich nicht verwandelt und meint nur: »Komisch! Normalerweise verwandle ich mich in einen schönen Prinzen.«
Der Frosch beklagt sich bei der Prinzessin: »Ich möchte keineswegs in einen Prinzen verwandelt werden. Ich möchte, daß Du mich so akzeptierst, wie ich bin.«
Oder: Der Prinz auf dem Thronsessel gesteht seinem Freund ein: »Ich war zweifellos glücklicher, als ich noch ein Frosch war.«
Ein mürrisch dasitzendes älteres Königspaar. Sie bekennt: »Wie ich den Tag hasse, an dem ich begann, Frösche zu küssen«[164].

Oft verlassen diese Witze das feudale Milieu. Dann gibt es keinen König mehr, keinen Prinzen und keine Prinzessin. Die Bekanntschaft von Frosch und Mädchen findet auf der Straße statt: Der Frosch geht unmittelbar auf sein Ziel los; er spricht das Mädchen an, ohne ihm vorher eine Vorleistung erfüllt zu haben. Ohne Information der Eltern oder eine Bewährung am elterlichen Familientisch springt der Frosch gleich ins Bett und läßt sich »erlösen«. Ein Mann wird auf der Straße von einem Frosch angesprochen: »Wohin so eilig? Warum nehmen Sie mich nicht in Ihr Bett?«[165]
In vielen Cartoons, vor allem in Polit-Karikaturen, ver-

Ronald Reagan als Don Quichote und Franz Josef Strauß als Froschkönig. Reagan: »Wenn ich dich küsse, Olga, wirst du dich aus einer alten häßlichen Kröte in eine gar nicht einmal so schlecht aussehende Nutte verwandeln und wir werden mehr oder weniger glücklich für alle Zeiten zusammenleben« (aus San Angelo Times, 24. 1. 1984). Strauß: »Küsse mich, und ich verwandle mich in einen wunderschönen Bundeskanzler!« (aus dem Nebelspalter, Rorschach, Jahrg. 1979, Nr. 23)

körpert der zu küssende Frosch ein politisches Versprechen auf eine bessere Zukunft. So sind es insbesondere dicke, großsprecherische oder schleimige, vielschillernde Politiker, die in politischen Karikaturen als Frösche oder Froschprinzen auftreten, die sozusagen nur vom Wähler geküßt zu werden brauchen, um sich in sympathische und attraktive Minister, Bundeskanzlerkandidaten oder Parteivorsitzende zu verwandeln. In neuen politischen Cartoons erscheint der Froschkönig nicht selten als eine Art Symbolfigur der ›Grünen‹: Ein Politiker, der eine Koalition mit den Grünen beabsichtigt, erklärt dem ›grünen‹ Frosch: ›Schluß mit dem An-die-Wand-Geschmeiße, jetzt wird einfach geheiratet.‹

Diese letzte Wendung ist eher die Ausnahme. Bemerkenswert ist nämlich, daß in kaum einer der deutschen oder angloamerikanischen Froschkönig-Versionen der Frosch gegen die Wand geworfen wird, wie es die allgemein bekannte Grimm-Vorlage erwarten ließe. Fast immer geht es um die Erlösung durch einen Kuß, und fast immer geht es um erotische - sexuelle Vorgänge. In dieser Hinsicht gibt es also eine Art Selbstberichtigungsprozeß im Sinne der Theorie von Walter Anderson[166].

So verwundert es auch nicht, daß der Frosch heutzutage sogar Heiratsanzeigen zugrunde gelegt werden kann. Dafür nur ein Beispiel von mehreren, dem Verfasser bekannten:

Ich möchte Dir einen Apfelkuchen backen und Deinen Träumen zuhören. Wenn Du aus einem Frosch (33/1,70, Raum 32) einen Prinzen machen willst, würde ich mich über Deine Antwort freuen[167].

Die Mode der Froschkönig-Cartoons ist vor allem in den Vereinigten Staaten sehr entwickelt. Karten zum Valentinstag oder zum Geburtstag zeigen ein Froschbild und empfehlen: »Kiss the ugly frog and he'll become a hand-

Froschkönig-Witze, Parodien und Travestien

Flirt mit den Grünen.
Holger Börner: »Schluß mit dem An-die-Wand-Geschmeiße, jetzt wird einfach geheiratet!« (aus: tz, München, Jahrg. 1983)
Willy Brandt: »Hallo, mein Prinz!« (aus der Frankfurter Allgemeinen Zeitung, Jahrg. 1982)

some prince«; oder mit der Bitte »Only a kiss from a beautiful woman can turn me back«. Entsprechend empfiehlt eine andere Glückwunschkarte: »Mädchen, küßt Eure Märchenprinzen, damit Ihr seht, was Ihr für Frösche habt!« Oder eine andere Karte empfiehlt: »Wenn Du einen Prinzen gefunden hast, mußt Du auch sein Gequake ertragen!« T-shirts zeigten einen Frosch mit der Unterschrift »The Handsome Prince« oder »You have to kiss a Lot of Frogs Before You find Your Dream Prince«.

Von Aesop und Aristophanes bis zu La Fontaine, Mark Twain oder John Steinbeck haben Frösche die literarische Phantasie beflügelt.

Doch muß es einen Grund dafür geben, warum der geliebte oder ungeliebte, geküßte, verwandelte oder auch nicht verwandelte Froschkönig so oft Gegenstand von Witzen, Kurzgeschichten, Gedichten, Comic Strips und Cartoons geworden ist. Die heutzutage auffällig häufige entstellende Verwendung des Grimmschen Märchens für die unterschiedlichsten Zwecke, für Werbung, Parodierung oder für schadenfrohe Witze über die lächerliche Diskrepanz zwischen Erwartung und Wirklichkeit deutet darauf hin, daß an der uns bekannten Fassung selber Wesentliches auszusetzen ist. Der Froschkönig ist geradezu ein Schulbeispiel dafür, wie sehr gewisse Märchenfassungen, bestimmte Einzelelemente oder Akzente weithin bekannter Erzählungen als Einladungen verstanden werden zur Änderung, Aufhebung oder gar Verkehrung ihrer Funktion[168].

W. Blair[169] hat das vermehrte Auftauchen von Bildwitzen vom Typ Froschkönig (und Cinderella), aber auch von Schlagern vom Typ ›One Day Your Prince Will Come‹ in einem aktuellen politischen Kontext zur englischen Königsheirat von 1981 (Prinz Charles und Lady Diana) gesehen. Das ist sicher eine Denkmöglichkeit. Aber es muß noch andere Gründe für die Beliebtheit von Märchenwitzen in unserer Zeit geben als nur den vorübergehenden Anlaß einer Prinzenheirat. Man könnte es eher umgekehrt formulieren. Die Gründe müssen dieselben sein, die auch zur Popularität von Fürstenhochzeiten und ihrer Darstellung im Massenjournalismus führen. Diese Witze sind einerseits Ausdruck einer Sehnsucht nach märchenhafter Liebe und echter Kommunikation. Sie spiegeln – wie das Märchen selbst – die dauernde Sehnsucht des Menschen, das Schöne an die Stelle des Häßlichen setzen zu können, den utopischen Wunsch nach Kommunikation im Sinne einer materiellen wie ideellen

Phantasieerfüllung. Andererseits führen Froschkönig-Witze die Erlösungssehnsucht ad absurdum. Sie verraten eine desillusionierende, blasphemische Skepsis gegen das Wunder und noch mehr Skepsis gegen die romantische Idee der ›wahren Liebe‹. Zum dritten gibt es vielleicht auch ein Bedürfnis, über das lachen zu können, was einen als Kind bewegt hat. Der Witz korrigiert die Phantastik des Märchens. Witze sind eine massive Kritik an einer Zeit, die nicht mehr an das Wunder glaubt. Der Witz greift die Wahrheit des Märchens an, er stellt sie in Frage, er spottet über den Optimismus des Märchens. Er zweifelt an dem, woran das Märchen in seinem Optimismus noch glauben möchte. Der Witz rüttelt an dem Glauben, daß eine gelungene Erlösung gleichzeitig auch alle anderen Probleme glücklich löst. Der Witz stellt die skeptische Frage: Ist es im Leben nicht oft so, daß der Wunschpartner, der sich anfänglich so vorteilhaft gezeigt hat, in der Ehe sein wahres, häßliches Gesicht wieder hervorkehrt?[170] So erweist das Märchen vom Froschkönig einmal mehr seine Aktualität.

Froschkönig-Witze,
Parodien und Travestien

Cartoon in Mischtechnik von Horst Haitzinger, 1985

Zur Illustrationsgeschichte

Schon Wilhelm Grimm hat gesagt, daß das Märchen zur bildlichen Darstellung dränge, weil es »übersinnliche Dinge in bildlicher Auffassung ausspricht«. Um so auffallender ist es, daß sich im Falle des Froschkönigmärchens die Künstler offensichtlich nicht gedrängt fühlten. Im Gegensatz zu seinem Bekanntheitsgrad hat das Froschkönigmärchen jedenfalls im 19. Jahrhundert nur wenig Illustratoren gefunden. Weder Ludwig Emil Grimm (1790–1863), der Malerbruder Jacobs und Wilhelms, noch andere romantische Illustratoren haben sich diesem Thema zugewandt. Die sog. ›Kleine Ausgabe‹ der Kinder- und Hausmärchen von 1825 kennt keine Froschkönig-Illustration und ebensowenig fand George Cruikshank (1792–1878), der berühmte Illustrator der englischen Ausgabe, diese Erzählung illustrationsbedürftig. Das gleiche gilt auch für andere große Märchenzeichner des Jahrhunderts: Moritz von Schwind (1804–1871) oder Franz von Pocci (1807–1876). Ludwig Richter (1803–1884) hat sich wenigstens des motivgleichen Märchens aus der Sammlung Bechstein (›Oda und die Schlange‹) angenommen. Eine Ausnahme bildet auch Otto Speckter (1807–1871). Seine Gestaltung des Münchner Bilderbogens Nr. 193 vereinigt alle Szenen des Märchens. Teils spielen sie in der freien Natur, teils in Interieurs der königlichen Burg. Da darf der Betrachter sogar durch die geöffneten Fensterläden einen Blick in das Schlafgemach der Prinzessin riskieren. Aber der Zeitpunkt ist offensichtlich der ›Morgen danach‹: Ehrerbietig kniet der standesgemäß gekleidete und gekrönte Prinz vor der Schönen, die ihn zuvor doch so schändlich behandelt hatte. Angesichts der Wohlanständigkeit dieser Szene vermutet man, warum andere Künstler den Froschkönig aus ihrer Märchenproduktion eher ausgeklammert haben. Denn das muß ja seine Gründe haben. Ohnehin boten sich im Froschkönig nur wenige Szenen zur bildnerischen Gestaltung an. Und einige – wie die Bettszene oder der gewaltsame Tötungsversuch – verboten sich damals von selbst. Erst die Cartoonisten der 70er und 80er Jahre des 20. Jahrhunderts widmeten sich gerade dieser Szene in begreiflichem Nachholbedarf. Andere Szenen erschienen den Künstlern vielleicht auch nicht ergiebig. Der Frosch am Brunnenrand z. B. gibt nicht allzuviel her. Außerdem wäre es für die Zeichner töricht gewesen, dem Frosch von vornherein ein Krönchen aufzudrücken; denn dann hätte die

Märchenbilderbogen von Otto Speckter (Münchener Bilderbogen Nr. 193, 1857)

Prinzessin logischerweise gleich von vornherein gewußt, an wen sie sich zu halten hatte. Gleichwohl ist der Frosch oft genug gekrönt abkonterfeit worden, z. B. von Paul Hey (1867–1952). Die von Wilhelm Grimm so ausführlich geschilderte Naturkulisse mußte auf romantisierende Maler eine besondere Anziehungskraft ausüben. In diese Richtung geht die Jugendstil-Illustration Otto Ubbelohdes (1867–1922). Seine Darstellung der ersten Begegnung von Prinzessin und Frosch zeigt einen wahrhaft mythischen Brunnen, dessen Wasser dem Mund einer bärtigen Gestalt entspringt. Diese wirkt wie eine halb-göttliche Figur und weist vielleicht schon auf den Vater der Prinzessin oder doch zumindest auf die schicksalhafte Begegnung der beiden Protagonisten hin. Einen eher unheim-

Froschkönig-Theater. Holzschnitte von Werner Klemke, aus: Kinder- und Hausmärchen der Brüder Grimm, Berlin (DDR) 1962

lichen Aspekt erweckt auch Maurice Šendak, der der Froschprinzessin die Züge der englischen Königin Elisabeth I. verleiht. Damit setzt er sich bewußt ab von der Kindlichkeit der Prinzessin, die noch mit ihrem goldenen Ball spielt, wie sie auch gelegentlich dargestellt worden ist (N. Smith). Der Frosch, der der Prinzessin bei Tisch den Appetit verdirbt, bot schon eher ein sogar heiteres Thema (Hermann Vogel). Aber es fällt doch auf, daß die seriösen Illustratoren – wie im Grunde ja auch die Cartoonisten unserer Gegenwart – hinter dem Märchen ein Erwachsenen-Geschehen vermutet haben, keine Kindergeschichte. In jedem Fall erzählen die Illustratoren das Märchen auf ihre eigene, vom vorgegebenen Text oft ganz unabhängige Weise.

Zur Illustrationsgeschichte

II. Variationen über den Froschkönig

Präludium

Der ›Froschkönig‹ zählt zu den bedeutsamsten Märchen der Weltliteratur. Seine ›Bedeutsamkeit‹ liegt auf den verschiedensten Gebieten und ist zunächst einmal wörtlich zu verstehen: Selten hat ein Märchen so vielfachen Anlaß zu Deutung wie Mißdeutung gegeben, auch so viel Anlaß zur Parodierung und witzigen Verfremdung. Die in diesem Buch vorgestellten Fassungen und Interpretationen bewegen sich auf sehr verschiedenen Ebenen und zeigen wie ein Glasperlenspiel, kaleidoskopartig immer neue Aspekte derselben Sache. Sie gehören schon den unterschiedlichsten Textsorten an: Da stehen literarische, dichterisch-fiktionale Texte bekannter Autoren (bis zu Joh. Mario Simmel und Karin Struck) neben Aufzeichnungen aus der mündlichen Volksüberlieferung, einzelne Kostproben auch mundartlicher Fassungen; dann aber auch Umdichtungen, Märchengedichte ernsteren wie spielerisch-heiteren Inhalts (Marie Luise Kaschnitz, Franz Fühmann u. a.), Prosa-Erzählungen mit deutlichen Zeitbezügen, wie sie in den letzten Jahrzehnten immer häufiger aufkamen, bewußte didaktische Neufassungen aus Kinder- und Jugendbüchern (A. Lindgren, Janosch), emanzipatorische Gegenentwürfe zu den traditionell-patriarchalischen Strukturen der gewohnten Märchenwelt, Ideologie- und Sprachparodien, in denen der Frosch – sei es nun als Held oder Antiheld – immer mehr zur Hauptperson, d. h., das Gesamtgeschehen vorwiegend aus der ›Froschperspektive‹ gesehen wird. Die zeichnerische Umsetzung in Richtung Comic und Cartoon beginnt – lange schon, bevor diese Modeströmung aus Amerika zu uns zurückkommt – mit Wilhelm Busch, der es sich nicht entgehen ließ, das Froschkönigthema gleich zweimal aufzunehmen.

Schließlich die wissenschaftlichen und halbwissenschaftlichen Sinnsucher: Die meisten Interpretationsansätze gehen davon aus, daß Märchen verdrängte Wunschphantasien realisieren und im ›Klartext‹ also etwas anderes meinen, als was geschrieben steht. ›Deutung‹ eines Märchens glaubt dann zu erkennen, daß hinter dem vordergründigen Geschehen noch ganz andere Gehalte oder gar Weisheiten versteckt sein könnten.

Aber nicht nur deshalb weichen diese Sinngebungen z. T. stark voneinander ab, weil verschiedene Autoren die ›Metasprache‹ des Märchens unterschiedlich aus einem Text heraushören und weil die Bilder des Märchens grundsätzlich vieldeutig sind. Wie so oft beruhen praktisch alle Deutungsversuche auf der stark bearbeiteten Ausgabe der Grimmschen Märchen von 1857, der letzten von den Brüdern Grimm noch selbst durchgesehenen Druckfassung, ohne die unbearbeiteten Vorstufen der Urfassung oder gar andere Varianten überhaupt in Betracht zu ziehen. Und eben weil sie nur von dieser einen Version ausgehen, wirken die meisten Deutungen überinterpretiert. Der immer und immer wieder anders gedeutete Text von KHM 1 ist jedoch alles andere als ein ›authentischer‹ Ethnotext.

Selten gibt ein Grimm-Märchen einen so guten Einblick in die ›Werkstatt‹ der beiden Brüder, insbesondere in die Arbeitsweise Wilhelm Grimms. An kaum einem anderen Märchen haben die Brüder Grimm so viel überformt, Parallelfassungen ihrer Gewährsleute zu einem Stück zusammengesetzt und stilistisch geglättet. Gleichwohl – oder vielleicht gerade deshalb – erfüllt KHM 1 fast alle ›epischen Gesetze‹ und Stilnormen des Märchens. An diesem Stück, vor allen anderen Erzählungen, haben die literaturwissenschaftlichen Erzähl-Theoretiker diese Normen überhaupt erst abgelesen.

Besonderes Interesse fanden auch die Moralvorstellungen dieser Erzählung: Weder die Prinzessin noch ihr Vater noch der Froschkönig handeln ja ethisch gut. Die Verursacherin des bösen Schadenzaubers, die Hexe, endet nicht auf dem Scheiterhaufen, wie wir das erwarten dürfen. Das Märchenprinzip, daß der Gute belohnt und der Böse bestraft wird, scheint verlassen.

Hinsichtlich der literarischen Bearbeitungen wie der Parodien und Witze hält KHM 1 den absoluten Rekord. Dies hängt nicht nur mit der Spitzenstellung innerhalb der Kinder- und Hausmärchen zusammen, sondern es hat denselben Grund, warum die Brüder Grimm gerade dieses Märchen an den Anfang ihrer Sammlung gestellt haben. Die auffällig häufige Verwendung des Grimmschen Froschkönigs bis hin zu Zwecken der industriellen und politischen Werbung und bis zu zahllosen Comics und Cartoons beweist die noch immer große Wirkung der Grimmschen Märchen. Nicht trotz, sondern wegen der Bearbeitung durch die Grimms sind die in diesem Märchen entwickelten Bilder als archetypische Grunderfahrungen des Menschen festgehalten worden. Nummer Eins einer berühmten Sammlung zu sein, hat immer programmatische Bedeutung, und so bleibt das Froschkönig-Märchen ein Stoff, an dem man bis ins Unendliche weiterspinnen könnte: Ein auch noch für die Zukunft offenes Lehrstück.

»Bist du vielleicht ein verkleideter Prinz?«
Glückwunschkarte zum Valentinstag

75

Die Grimmschen Textfassungen von 1810, 1812 und 1857

DIE KÖNIGSTOCHTER UND DER VERZAUBERTE PRINZ FROSCHKÖNIG (1810)

Die jüngste Tochter des Königs ging hinaus in den Wald, und setzte sich an einen kühlen Brunnen. Darauf nahm sie eine goldene Kugel und spielte damit, als diese plötzlich in den Brunnen hinabrollte. Sie sah wie sie in die Tiefe fiel und stand an dem Brunnen und war sehr traurig. Auf einmal streckte ein Frosch seinen Kopf aus dem Waßer und sprach: warum klagst du so sehr. Ach! du garstiger Frosch antwortete sie, du kannst mir doch nicht helfen, meine goldene Kugel ist mir in den Brunnen gefallen. Da sagte der Frosch, wenn du mich mit nach Haus nehmen willst, so will ich dir deine goldene Kugel wieder holen. Und als sie es versprochen, tauchte er unter und [brachte] kam bald die Kugel im Maul wieder in die Höhe, und warf sie ans Land. Da nahm die Königstöchter‹› eilig ihre Kugel wieder und lief eilig fort, und hörte nicht auf den Frosch der ihr nachrief sie solle ihn mitnehmen, wie sie ihm versprochen.

DER FROSCHKÖNIG ODER DER EISERNE HEINRICH (1812)

Es war einmal eine Königstochter, die ging hinaus in den Wald und setzte sich an einen kühlen Brunnen. Sie hatte *aber* eine goldene Kugel, die war ihr liebstes Spielwerk, [d]sie warf sie in die Höhe und fing sie wieder in der Luft und hatte ihre Lust daran. Einmal war die Kugel gar hoch geflogen, sie hatte die Hand schon ausgestreckt und die Finger gekrümmt, um sie wieder zufangen ‹›, da schlug sie neben vorbei auf die Erde, rollte und rollte und geradezu in das Wasser hinein.

Die Königstochter blickte ihr erschrocken nach, der Brunnen war aber so tief, daß kein Grund zu sehen war. Da fing sie an jämmerlich zu weinen und zu klagen: »ach! wenn ich meine Kugel wieder hätte, da wollt' ich alles darum geben, meine Kleider, meine Edelgesteine, meine Perlen und was es auf der Welt nur wär'.« Wie sie so klagte, steckte ein Frosch seinen Kopf aus dem Wasser und sprach: »Königstochter, was jammerst du so erbärmlich?« – »Ach, sagte sie, du garstiger Frosch, was kannst du mir helfen! meine goldne Kugel ist mir in den Brunnen gefallen.« – Der Frosch sprach: »deine Perlen, deine Edelgesteine und deine Kleider, die verlang ich nicht, aber wenn du mich zum Gesellen annehmen willst, und ich soll neben dir sitzen *an deinem Tisch* und von deinem goldnen Tellerlein essen und in deinem Bettlein schlafen und du willst mich werth und lieb haben, so will ich dir deine Kugel wiederbringen.« Die Königstochter dachte, was schwätzt der einfältige Frosch wohl, der muß doch in seinem Wasser bleiben, vielleicht aber kann er mir meine Kugel holen, da will ich nur ja sagen; und sagte: »ja meinetwegen, schaff mir nur erst die goldne Kugel wieder, es soll dir alles versprochen seyn.« Der Frosch steckte seinen Kopf unter das Wasser und tauchte hinab, es dauerte auch nicht lange, so kam er wieder in die Höhe, hatte die Kugel im Maul und warf sie ans Land. Wie die Königstochter ihre Kugel wieder erblickte, [lief sie geschwind darauf zu], hob sie *sie geschwind* auf und war so froh, sie wieder in ihrer Hand zu halten, daß sie an nichts weiter gedachte, sondern damit nach Hause [eilte] *lief.* Der Frosch rief ihr nach: »warte, Königstochter, und nimm mich mit, wie du versprochen hast«; aber *das war in den Wind gesprochen* sie hörte nicht darauf.

DER FROSCHKÖNIG ODER DER EISERNE HEINRICH
(1857)

In den alten Zeiten, wo das Wünschen noch geholfen hat, lebte ein König, dessen Töchter waren alle schön, aber die jüngste war so schön, daß die Sonne selber, die doch so vieles gesehen hat, sich verwunderte, sooft sie ihr ins Gesicht schien. Nahe bei dem Schlosse des Königs lag ein großer dunkler Wald, und in dem Walde unter einer alten Linde war ein Brunnen; wenn nun der Tag recht heiß war, so ging das Königskind hinaus in den Wald und setzte sich an den Rand des kühlen Brunnens; und wenn sie Langeweile hatte, so nahm sie eine goldene Kugel, warf sie in die Höhe und fing sie wieder; und das war ihr liebstes Spielwerk.

Nun trug es sich einmal zu, daß die goldene Kugel der Königstochter nicht in ihr Händchen fiel, das sie in die Höhe gehalten hatte, sondern vorbei auf die Erde schlug und geradezu ins Wasser hineinrollte. Die Königstochter folgte ihr mit den Augen nach, aber die Kugel verschwand, und der Brunnen war tief, so tief, daß man keinen Grund sah. Da fing sie an zu weinen und weinte immer lauter und konnte sich gar nicht trösten. Und wie sie so klagte, rief ihr jemand zu: »Was hast du vor, Königstochter, du schreist ja, daß sich ein Stein erbarmen möchte.« Sie sah sich um, woher die Stimme käme, da erblickte sie einen Frosch, der seinen dicken häßlichen Kopf aus dem Wasser streckte. »Ach, du bist's, alter Wasserpatscher«, sagte sie, »ich weine über meine goldene Kugel, die mir in den Brunnen hinabgefallen ist.« »Sei still und weine nicht«, antwortete der Frosch, »ich kann wohl Rat schaffen, aber was gibst du mir, wenn ich dein Spielwerk wieder heraufhole?« »Was du haben willst, lieber Frosch«, sagte sie, »meine Kleider, meine Perlen und Edelsteine, auch noch die goldene Krone, die ich trage.« Der Frosch antwortete: »Deine Kleider, deine Perlen und Edelsteine, und deine goldene Krone, die mag ich nicht; aber wenn du mich liebhaben willst, und ich soll dein Geselle und Spielkamerad sein, an deinem Tischlein neben dir sitzen, von deinem goldenen Tellerlein essen, aus deinem Becherlein trinken, in deinem Bettlein schlafen: wenn du mir das versprichst, so will ich hinuntersteigen und dir die goldene Kugel wieder heraufholen.« »Ach ja«, sagte sie, »ich verspreche dir alles, was du willst, wenn du mir nur die Kugel wiederbringst.« Sie dachte aber: Was der einfältige Frosch schwätzt, der sitzt im Wasser bei seinesgleichen und quakt und kann keines Menschen Geselle sein.

Der Frosch, als er die Zusage erhalten hatte, tauchte seinen Kopf unter, sank hinab, und über ein Weilchen kam er wieder heraufgerudert, hatte die Kugel im Maul und warf sie ins Gras. Die Königstochter war voll Freude, als sie ihr schönes Spielwerk wieder erblickte, hob es auf und sprang damit fort. »Warte, warte«, rief der Frosch, »nimm mich mit, ich kann nicht so laufen wie du.« Aber was half ihm, daß er ihr sein quak, quak so laut nachschrie, als er konnte! Sie hörte nicht darauf, eilte nach Haus und hatte bald den armen Frosch vergessen, der wieder in seinen Brunnen hinabsteigen mußte.

Und als sie nach Hause kam, setzte sie
sich an die Tafel zu ihrem Vater, und
wie sie eben eßen wollte, klopfte es an
die Thüre und rief: Königstochter
jüngste mach mir auf! Und sie eilte hin
und sah wer es war, da war es der häßliche Frosch und sie warf eilig [wie
›der‹] die Thüre wieder zu. Ihr Vater
aber fragte, wer da sey und sie erzählte
ihm alles. Da rief es wieder

Königstochter jüngste [mach]
mach mir auf
weißt du nicht was gestern
du zu mir gesagt,
bei dem kühlen Brunnenwaßer
Königstochter jüngste
mach mir auf.

Und der König befahl ihr dem Frosch
aufzumachen, und er hüpfte herein.
Dann sprach ›er zu‹ ihr: setz mich zu
dir an den Tisch, ich will mit dir eßen.
Sie wollte es aber nicht thun, bis daß es
der König auch befahl. Und der
Frosch saß an der Seite der Königstochter und aß mit. Und als er satt war,
sprach er zu ihr: bring mich in dein
Bettlein ich will bei dir schlafen.
Das wollte sie aber durchaus nicht,
denn sie fürchtete sich sehr vor dem
kalten Frosch. Aber der König befahl
es wiederum, da nahm sie den Frosch
und trug ihn in ihre Kammer und voll

Am andern Tage saß die Königstochter an der Tafel, da
hörte sie etwas die Marmortreppe heraufkommen,
plitsch, platsch! plitsch, platsch! bald darauf klopfte es auch
an der Thüre und rief: »Königstochter, jüngste, mach mir
auf!« Sie lief hin und [machte die Thüre auf] *sah, wer [da
war], draußen war*, da war es der Frosch, an den sie nicht
mehr gedacht hatte; ganz erschrocken warf sie die Thüre
[hastig] zu und setzte sich wieder an die Tafel. Der König
aber sah, daß ihr das Herz klopfte, und sagte: »warum
fürchtest du dich?« – »Da draußen ist ein garstiger Frosch,
sagte sie, der hat mir meine goldne Kugel aus dem Wasser
geholt, ich versprach ihm dafür, er sollte mein Geselle
werden, ich glaubte aber nimmermehr, daß er aus seinem
Wasser heraus könnte, nun ist er draußen vor der Thür
und will herein.« Indem klopfte es zum zweitenmal und
rief:

»Königstochter, jüngste,
mach mir auf,
weißt du nicht was gestern
du zu mir gesagt
bei dem kühlen Brunnenwasser?
Königstochter, jüngste,
mach mir auf.«

Der König sagte: »was du versprochen hast, mußt du halten, geh und mach dem Frosch die Thüre auf.« Sie
[gehorchte und] ging und machte auf, der Frosch hüpfte
herein, und ihr auf dem Fuße immer nach, bis zu ihrem
Stuhl, und als sie sich wieder gesetzt hatte, da rief er: »heb
mich herauf auf einen Stuhl neben dich.« Die Königstochter wollte nicht, aber [der König befahl es ihr] *vor
ihrem Vater mußte sie es thun*. Wie der Frosch oben war,
sprach er: »nun schieb dein goldenes Tellerlein näher, ich
will mit dir davon essen.« Das mußte sie auch thun. Wie
er sich satt gegessen hatte, sagte er: »nun bin ich müd' und
will schlafen, bring mich hinauf in dein Kämmerlein, mach
dein Bettlein zurecht, da wollen wir uns hineinlegen.«
Die Königstochter erschrack, wie sie das hörte, sie fürchtete sich vor dem kalten Frosch, sie getraute sich nicht ihn
anzurühren und nun sollte er bei ihr in ihrem Bett liegen,
sie fing an zu weinen und wollte durchaus nicht. Da ward
der König zornig und befahl ihr bei seiner Ungnade, zu
thun, was sie versprochen habe. Es half nichts, sie mußte
thun, wie ihr Vater wollte, aber sie war bitterböse in ihrem
Herzen.

Am andern Tage, als sie mit dem König und allen Hofleuten sich zur Tafel gesetzt hatte und von ihrem goldenen Tellerlein aß, da kam, plitsch platsch, plitsch platsch, etwas die Marmortreppe heraufgekrochen, und als es oben angelangt war, klopfte es an der Tür und rief: »Königstochter, jüngste, mach mir auf.« Sie lief und wollte sehen, wer draußen wäre, als sie aber aufmachte, so saß der Frosch davor. Da warf sie die Tür hastig zu, setzte sich wieder an den Tisch, und war ihr ganz angst. Der König sah wohl, daß ihr das Herz gewaltig klopfte, und sprach: »Mein Kind, was fürchtest du dich, steht etwa ein Riese vor der Tür und will dich holen?« »Ach nein«, antwortete sie, »es ist kein Riese, sondern ein garstiger Frosch.« »Was will der Frosch von dir?« »Ach lieber Vater, als ich gestern im Wald bei dem Brunnen saß und spielte, da fiel meine goldene Kugel ins Wasser. Und weil ich so weinte, hat sie der Frosch wieder heraufgeholt, und weil er es durchaus verlangte, so versprach ich ihm, er sollte mein Geselle werden, ich dachte aber nimmermehr, daß er aus seinem Wasser heraus könnte. Nun ist er draußen und will zu mir herein.«
Indem klopfte es zum zweitenmal und rief:

»Königstochter, jüngste,
mach mir auf,
weißt du nicht, was gestern
du zu mir gesagt
bei dem kühlen Brunnenwasser?
Königstochter, jüngste,
mach mir auf.«

Da sagte der König: »Was du versprochen hast, das mußt du auch halten; geh nur und mach ihm auf.« Sie ging und öffnete die Türe, da hüpfte der Frosch herein, ihr immer auf dem Fuße nach, bis zu ihrem Stuhl. Da saß er und rief: »Heb mich herauf zu dir.« Sie zauderte, bis es endlich der König befahl. Als der Frosch erst auf dem Stuhl war, wollte er auf den Tisch, und als er da saß, sprach er: »Nun schieb mir dein goldenes Tellerlein näher, damit wir zusammen essen.« Das tat sie zwar, aber man sah wohl, daß sie's nicht gerne tat. Der Frosch ließ sich's gut schmecken, aber ihr blieb fast jedes Bißlein im Halse. Endlich sprach er: »Ich habe mich satt gegessen und bin müde, nun trag mich in dein Kämmerlein und mach dein seiden Bettlein zurecht, da wollen wir uns schlafen legen.« Die Königstochter fing an zu weinen und fürchtete sich vor dem kalten Frosch, den sie nicht anzurühren getraute und der nun in ihrem schönen reinen Bettlein schlafen sollte. Der König aber ward zornig und sprach: »Wer dir geholfen hat, als du in der Not warst, den sollst du hernach nicht verachten.«

Zorn faßt sie ihn und warf ihn mit aller Gewalt, wieder die Wand in ihrem Bett. Wie er aber *(aus:* an) an die Wand kam, so fiel er herunter in das Bett und lag darin als ein junger schöner Prinz, da legte sich die Königstochter zu ihm.

Und am Morgen kam ein schöner Wagen mit dem treuen Diener des Prinzen, der hatte ein solch großes Leid über die Verwandelung deßelben gehabt, daß er drei eiserne Bande um sein Herz legen mußte. Und der Prinz und die Königstochter setzten sich in den Wagen, und der treue Diener stellte sich hinten auf, und sie wollten in sein Reich fahren.

Und wie sie ein Stück Wegs gefahren sind, hört der Prinz hinter sich *(nachträglich)* ein lautes Krachen. Da ruft er

Heinerich der Wagen bricht!
Nein Herr der Wagen nicht,
Es *(aus: es)* ist ein Band von meinem
                                    Herzen,
das da lag in großen Schmerzen
als ihr an dem Brunnen saßt
als ihr eine Fretsche wart.   Frosch

Mündlich

Sie packte den Frosch mit zwei Fingern und trug ihn hinauf in ihre Kammer, legte sich ins Bett und statt ihn neben sich zu legen, warf sie ihn bratsch! an die Wand; »da nun wirst du mich in Ruh lassen, du garstiger Frosch!« Aber der Frosch fiel nicht todt herunter, sondern wie er herab auf das Bett kam, da wars ein schöner Prinz. Der war nun ihr lieber Geselle, und sie hielt ihn werth wie sie versprochen hatte, und sie schliefen vergnügt zusammen ein. Am Morgen aber kam ein prächtiger Wagen mit acht Pferden bespannt, mit Federn geputzt und goldschimmernd, dabei war der treue Heinrich des Prinzen, der hatte sich so betrübt über die Verwandlung desselben, daß er drei eiserne Bande um sein Herz legen mußte, damit es vor Traurigkeit nicht zerspr[i]ünge. Der Prinz setzte sich mit der Königstochter in den Wagen, der treue Diener aber stand hinten auf, so wollten sie in sein Reich fahren. Und wie sie ein Stück Weges gefahren waren, hörte der Prinz hinter sich ein lautes Krachen, da drehte er sich um und rief:

»Heinrich, der Wagen bricht!«
»Nein Herr, der Wagen nicht,
es ist ein Band von meinem Herzen,
das da lag in großen Schmerzen,
als ihr in dem Brunnen saßt,
als ihr eine Fretsche (Frosch) was't.«   (wart)

Noch einmal und noch einmal hörte es der Prinz krachen, und meinte: der Wagen bräche, aber es waren nur die Bande, die vom Herzen des treuen Heinrich absprangen, weil sein Herr erlöst und glücklich war.

Da packte sie ihn mit zwei Fingern, trug ihn hinauf und setzte ihn in eine Ecke. Als sie aber im Bett lag, kam er gekrochen und sprach: »Ich bin müde, will schlafen so gut wie du: heb mich herauf, oder ich sag's deinem Vater.« Da ward sie erst bitterböse, holte ihn herauf und warf ihn aus allen Kräften wider die Wand. »Nun wirst du Ruhe haben, du garstiger Frosch.«

Als er aber herabfiel, war er kein Frosch, sondern ein Königssohn mit schönen und freundlichen Augen. Der war nun nach ihres Vaters Willen ihr lieber Geselle und Gemahl. Da erzählte er ihr, er wäre von einer bösen Hexe verwünscht worden, und niemand hätte ihn aus dem Brunnen erlösen können als sie allein, und morgen wollten sie zusammen in sein Reich gehen. Dann schliefen sie ein, und am andern Morgen, als die Sonne sie aufweckte, kam ein Wagen herangefahren, mit acht weißen Pferden bespannt, die hatten weiße Straußfedern auf dem Kopf und gingen in goldenen Ketten, und hinten stand der Diener des jungen Königs, das war der treue Heinrich. Der treue Heinrich hatte sich so betrübt, als sein Herr war in einen Frosch verwandelt worden, daß er drei eiserne Bande hatte um sein Herz legen lassen, damit es ihm nicht vor Weh und Traurigkeit zerspränge. Der Wagen aber sollte den jungen König in sein Reich abholen; der treue Heinrich hob beide hinein, stellte sich wieder hinten auf und war voller Freude über die Erlösung. Und als sie ein Stück Wegs gefahren waren, hörte der Königssohn, daß es hinter ihm krachte, als wäre etwas zerbrochen. Da drehte er sich um und rief:

»Heinrich, der Wagen bricht.«
»Nein, Herr, der Wagen nicht,
es ist ein Band von meinem Herzen,
das da lag in großen Schmerzen,
als Ihr in dem Brunnen saßt,
als Ihr eine Fretsche (Frosch) wast (wart).«

Noch einmal und noch einmal krachte es auf dem Weg, und der Königssohn meinte immer, der Wagen bräche, und es waren doch nur die Bande, die vom Herzen des treuen Heinrich absprangen, weil sein Herr erlöst und glücklich war.

Zeichnung von Hermann Vogel zum Froschkönig, München 1894

Der Froschprinz

Es war einmal ein König, der hatte drei Töchter, in seinem Hof aber stand ein Brunnen mit schönem klaren Wasser. An einem heißen Sommertag ging die älteste hinunter und schöpfte sich ein Glas voll heraus, wie sie es aber so ansah und gegen die Sonne hielt, sah sie, daß es trüb' war. Das kam ihr ganz ungewohnt vor und sie wollte es wieder hineinschütten, indem regte sich ein Frosch in dem Wasser, streckte den Kopf in die Höhe, und sprang endlich auf den Brunnensrand, da sagte er zu ihr:

»wann du willst mein Schätzchen seyn,
will ich dir geben hell, hell Wässerlein.«

»Ei, wer will Schatz von einem garstigen Frosch seyn«, rief die Prinzessin und lief fort. Sie sagte ihren Schwestern was da unten am Brunnen für ein wunderlicher Frosch wäre, der das Wasser trüb machte. Da ward die

Titelblatt von Eugen Napoleon Neureuther,
aus: Der Wunderborn. Eine Sammlung der
schönsten Märchen und Sagen aus deutschen
Gauen, Stuttgart 1882

zweite neugierig, ging hinunter und schöpfte sich auch
ein Glas voll, das war eben wieder so trüb, daß sie es nicht
trinken wollte. Aber der Frosch war auch wieder auf dem
Rand und sagte:

>wann du willst mein Schätzchen seyn,
will ich dir geben hell, hell Wässerlein.«

»Das wär' mir gelegen«, sagte die Prinzessin und lief fort.
Endlich kam die dritte, und schöpfte auch, aber es ging ihr
nicht besser und der Frosch sprach auch zu ihr:

»wann du willst mein Schätzchen seyn,
will ich dir geben hell, hell Wässerlein.«

»Ja doch! ich will dein Schätzchen seyn, sagte die Prinzessin, schaff mir nur reines Wasser«, sie dachte aber: was
schadet dir das, du kannst ihm ja leicht aus Gefallen so
sprechen, ein dummer Frosch kann doch nimmermehr
mein Schatz seyn. Der Frosch aber war wieder in's Was-

Brüder Grimm
Der Froschprinz
Nr. 13 des 2. Bandes KHM von 1815

Illustration von Paul Hey zu Brüder Grimm,
Kindermärchen, Stuttgart o.J.

Brüder Grimm
Der Froschprinz
Nr. 13 des 2. Bandes KHM von 1815

ser gesprungen, und als sie nun zum zweitenmal schöpfte, da war das Wasser so klar, daß die Sonne ordentlich vor Freuden darin blinkte. Sie trank sich recht satt und brachte ihren Schwestern noch mit hinauf: »was seyd ihr so einfältig gewesen und habt euch vor dem Frosch gefürchtet.«

Darnach dachte die Prinzessin nicht weiter daran und legte sich Abends vergnügt in's Bett. Wie sie ein Weilchen darin lag und noch nicht eingeschlafen war, da hört sie auf einmal etwas an der Thüre krabbeln, und darnach singen:

»Mach' mir auf! mach mir auf!
Königstochter, jüngste,
weißt du nicht, wie du gesagt
als ich in dem Brünnchen saß,
du wolltest auch mein Schätzchen seyn,
gäb' ich dir hell, hell Wässerlein.«

»Ei! da ist ja mein Schatz, der Frosch, sagte die Prinzessin, nun weil ich's ihm versprochen habe, so will ich ihm aufmachen«, also stand sie auf, öffnete ihm ein Bischen die Thüre und legte sich wieder. Der Frosch hüpfte ihr nach und hüpfte endlich unten in's Bett zu ihren Füßen und

Illustration von Hanns und
Marianne Langenberg

blieb da liegen, und als die Nacht vorüber war und der Morgen graute, da sprang er wieder herunter und fort zur Thüre hinaus. Am andern Abend, als die Prinzessin wieder im Bett lag, krabbelte es wieder und sang an der Thüre. Die Prinzessin machte auf, und der Frosch lag bis es Tag werden wollte wieder unten zu ihren Füßen. Am dritten Abend kam er, wie an den vorigen. »Das ist aber das letztemal, daß ich dir aufmache, sagte die Prinzessin, in Zukunft geschiehts nicht mehr.« Da sprang der Frosch unter ihr Kopfkissen und die Prinzessin schlief ein. Wie sie am Morgen aufwachte und meinte, der Frosch sollte wieder forthüpfen, da stand ein schöner junger Prinz vor ihr, der sagte, daß er der bezauberte Frosch gewesen, und daß sie ihn erlöst hätte, weil sie versprochen sein Schatz zu seyn. Da gingen sie beide zum König, der gab ihnen seinen Segen und da ward Hochzeit gehalten. Die zwei andern Schwestern aber ärgerten sich, daß sie den Frosch nicht zum Schatz genommen hatten.

Brüder Grimm
Der Froschprinz
Nr. 13 des 2. Bandes KHM von 1815

Illustration von Hans Grohé

Wenn du drei Nächte weinst

Es war einmal eine Prinzeß die fuhr spazieren, da sah sie im Gras einen dicken, schwarzen Klumpen liegen, und sprach zum Bedienten: sieh doch ein Mal was da im Gras liegt, der hob das Ding auf, und da war es ein schreckliches Ungethüm, die Gräfin sagte, sie sollten es in den Wagen legen das geschah, als sich die Gräfin des Abends zu bette legte, gedachte sie an das Thier, ließ es heraufhohlen und legte es zu sich ins Bett. Da fing das Thier an zu sprechen und sagte: wenn du drei Nächte weinst und mich mit deinen Thränen wäschst, so werde ich zu einem Menschen, denn ich bin verzaubert, da weinte die Prinzeß drei Nächte und wusch ihn mit den Thränen, den dritten Morgen war das Ungethüm ein wunderschöner Prinz, der sprach zu Prinzeß, ich will in mein Schloß gehen, um unsere Hochzeit zu bestellen, bleibe bis ich dich hole. Da ging er fort, und kam nicht wieder, die Prinzeß wartete lange vergebens endlich zog sie und ihre Kammerfrau Manneskleider an, und ritten nach dem Schloß, sie nannte sich Graf Heinrich und die Kammerfrau war ihr Reitknecht.

Als sie in dem Schloß ankamen waren da viele Grafen und Herrn die schmauseten und zechten, sie machte alles mit nur bei der Tafel mit zu essen verbat sie sich. König Herwich aber glaubte es seien Frauen, das merkten die Beiden und schickten ihr Hündchen Gedewalrothe unter die Tafel, damit es höre was gesprochen wurde, da hörte es wie gesagt wurde, wir wollen Erbsen auf die Treppe werfen, sind es Frauen, so gehen sie stillschweigend darüber hin, sind es Männer, so donnern und wettern sie, das Hündchen erzählte es seiner Herrin und sie gingen über die Erbsen und donnerten und wetterten, da glaubten die Leute sie seien Männer. –

Des andern Tages gingen alle Grafen und Herren mit König Herwich der neuen Braut entgegen, unter ihnen war auch der Graf Heinrich der ritt an der Seite des Brautwagens her. Als die Braut kam küßte sie ihr Bräutigam, da krachte Graf Heinrichs Herze. König Herwig sprach: Graf Heinrich dein Sattel kracht, da antwortete dieser, es ist nicht der Sattel, sondern das treue Herz, das so manche lange Nacht, bei König Herwich, hat gewacht, da fiel ihr der König zu Füßen, und erkannte sie als seine Braut an. Da war ihre Hochzeit und die andere Braut mußte wieder heim ziehen.

Vignette von Hermann Vogel

Oda und die Schlange

Ludwig Bechstein

Es war einmal ein Mann, der hatte drei Töchter, von denen hieß die jüngste Oda. Nun wollte der Vater dieser drei einmal zu Markte fahren, und fragte seine Töchter, was er ihnen mitbringen sollte. Da bat die Älteste um ein goldnes Spinnrad, die zweite um eine goldne Weife, Oda aber sagte: »Bringe mir das mit, was unter deinem Wagen wegläuft, wenn du auf dem Rückweg bist.« Da kaufte denn nun der Vater auf dem Markt ein, was sich die älteren Mädchen gewünscht, und fuhr heim, und siehe, da lief eine Schlange unter den Wagen, die fing der Mann und brachte sie Oda mit. Er warf sie untenhin in den Wagen, und nachher vor die Haustür, wo er sie liegen ließ. Wie nun Oda heraus kam, da fing die Schlange an zu sprechen: »Oda! liebe Oda! Soll ich nicht hinein auf die Diele?« (In die Hausflur). – »Was?« sagte Olda: »Mein Vater hat dich bis an unsere Türe mitgenommen, und du willst auch herein auf die Diele?« Aber sie ließ sie doch ein. Da nun Oda nach ihrer Kammer ging, so rief die Schlange wieder: »Oda, liebe Oda! Soll ich nicht vor deiner Kammertüre liegen?« – »Ei seht doch!« sagte Oda, »mein Vater hat dich bis an die Haustür gebracht, ich habe dich hereingelassen auf die Diele, und nun willst du auch noch vor meiner Kammertür liegen? Doch es mag drum sein!« – Wie

Illustration von Ludwig Richter, zu: Ludwig Bechsteins Märchenbuch, Leipzig 1853

Ludwig Bechstein
Oda und die Schlange

nun Oda in ihre Schlafkammer eingehen wollte, und die Kammertür öffnete, da rief die Schlange wieder: »Ach Oda, liebe Oda! Soll ich nicht in deine Kammer?« – »Wie?« rief Oda, »hat dich mein Vater nicht bis an die Haustür mitgenommen? Hab ich dich nicht auf die Diele gelassen, und vor meine Kammertür? Und nun willst du auch noch mit in die Kammer? – Aber, wenn du nun zufrieden sein willst, so komm nur herein, liege aber stille, das sag ich dir!« Damit ließ Oda die Schlange ein, und fing an sich auszukleiden. Wie sie nun ihr Bettchen besteigen wollte, so rief die Schlange doch wieder: »Ach Oda, liebste Oda! Soll ich denn nicht in dein Bette?« – »Nun wird es aber zu toll!« rief Oda zornig aus. »Mein Vater hat dich bis an die Haustür mitgenommen; ich habe dich auf die Diele gelassen, nachher vor die Kammertür, nachher herein in die Kammer – und nun willst du gar noch bei mich ins Bett? Aber du bist wohl erfroren? Nun so komm mit herein und wärme dich, du armer Wurm!« Und da streckte die gute Oda selbst ihre weiche warme Hand aus und hob die kalte Schlange zu sich herauf in ihr Bette. Da mit einem Male verwandelte sich die Schlange, die eine lange Zeit verzaubert gewesen war, und die nur erlöst werden konnte, wenn alles das geschah, was mit ihr sich zugetragen hatte – in einen jungen und schönen Prinzen, der alsobald die gute Oda zu seiner Frau nahm.

Der verwunschene Prinz

Wilhelm Busch

Es waren einmal ein Mann und eine Frau, die hatten nur eine einzige Tochter. Nun begab es sich aber, daß die Frau krank wurde, und weil es von Tage zu Tage schlimmer mit ihr ward und sie endlich fühlte, daß ihre Sterbestunde gekommen war, rief sie ihr Kind zu sich ans Bett und gab ihm einen Ring von ihrem Finger und sprach: »Den trage zu meinem Andenken und heb ihn wohl auf.« Danach legte sie sich und starb; und noch war kein Jahr seitdem vergangen, da nahm sich der Mann eine andere Frau. Sie war aber gar nicht gut gegen das Kind; das Mädchen durfte nie mit in die Stube kommen, sondern mußte immer auf der Diele beim Herde sitzen, und als einmal die Stiefmutter den schönen goldenen Ring an ihrem Finger sah, fing sie an zu schelten und bedrohte das Mädchen. »Ich sollte dir den teuren Ring eigentlich wegnehmen«, sagte sie; »aber das sage ich dir, verlierst du ihn, so prügele ich dich, daß du schwarz wirst.« Nun mußte das arme Mädchen alle Tage Wasser schleppen, und als sie auch einmal wieder die Brunnenstange anfaßte, um den schweren Eimer in die Höhe zu ziehen, glitt ihr der Ring vom Finger und fiel in den tiefen Brunnen hinein. Darüber fing sie bitterlich zu weinen an. Mit dem, so kam ein Laubfröschlein im Grase dahergehüpft, fing an zu sprechen und fragte: »Was fehlt dir denn, du wackres Mädchen, daß du so bitterlich weinen tust? Das sage mir, so will ich sehen, ob ich dir helfen kann.« »Ach Fröschlein!« sprach das Mädchen, »du kannst mir doch nicht helfen. Ich habe meiner Mutter ihren goldenen Ring in den Brunnen fallen lassen, und wenn das meine Stiefmutter erfährt, so werde ich gewiß Schläge kriegen.« »Sei nur still und laß dein Weinen sein«, sprach das Fröschlein; »wenn ich diese Nacht bei dir in deinem Bettlein schlafen soll, so will ich dir den Ring wohl wieder holen.« »Ach ja, liebes Fröschlein«, sprach das Mädchen, »ich will ja gerne alles tun, was du verlangst, wenn ich nur mein goldenes Ringlein wieder kriege!« Sprach das Fröschlein: »So setze mich in den Wassereimer und laß mich in den Brunnen hinab, daß ich dir dein goldenes Ringlein wieder hole.« Da setzte das Mädchen den Laubfrosch in den Eimer und ließ ihn in den Brunnen hinab, da tauchte er unter und kam bald wieder angeschwommen mit dem Ringlein in seinem Maule. Das Mädchen zog ihn wieder herauf, nahm den Ring, steckt' ihn voller Freuden an ihren Finger und ging ins Haus und dachte nicht mehr an das Laubfröschlein und was es ihm hatte versprechen müssen.

Zeichnung von Wilhelm Busch
zu »Der verwunschene Prinz«

Wilhelm Busch
Der verwunschene Prinz

Des Abends aber, da das Mädchen wieder wie immer auf der Hausflur beim Herde saß und spann, klopfte mit einmal was an die Seitentüre und rief: »Wackres Mädchen, wackres Mädchen! was du versprochen hast, mußt du auch halten; setze mich in dein Haus.« Das Mädchen machte die Türe auf und erschrak ordentlich, denn davor saß das Laubfröschlein. Erst wollte das Mädchen die Türe wieder zuschlagen; weil es aber an sein Versprechen dachte, und daß ihm der Frosch wieder zu seinem Ringe verholfen hatte, setzte es ihn in ihr Haus herein. Der Frosch hüpfte nun mit an den Herd und sah zu, wie das Mädchen spann. Nachdem, da es Zeit war, schlafen zu gehn, ging das Mädchen in ihre Kammer, zog die Tür hinter sich zu und ließ das Fröschlein draußen sitzen. Da klopfte es an die Kammertür und rief: »Wackres Mädchen, wackres Mädchen! Was du versprochen hast, mußt du auch halten! Setz' mich in deine Kammer.« Das Mädchen hätte lieber das Fröschlein draußen gelassen, aber es dachte daran, was es ihm am Brunnen versprochen hatte, nahm es und setzte es in seine Kammer. Nun zog das Mädchen sein Nachtzeug an, löschte das Licht und legte sich zu Bett und

Illustration von Noye Smith zu den Grimmschen Märchen, Nürnberg 1903

90

meinte, das Fröschlein würde nun wohl zufrieden sein. Aber nein! es wollte auch bei dem Mädchen im Bette schlafen und rief: »Wackres Mädchen, wackres Mädchen! Was du versprochen hast, mußt du auch halten! Setz' mich in dein Bett.« Da nahm das Mädchen das Fröschlein auch noch zu sich ins Bett und sprach: »So! Nun sei aber auch hübsch still, sonst muß ich dich wieder hinaussetzen.« Bald danach, weil das Fröschlein ganz stille war, schlief das Mädchen ein. Den andern Morgen aber, als es aufwachte und sich nach dem Fröschlein umsah, war kein Fröschlein mehr da, sondern lag da ein wunderhübscher junger Prinz im Bette, der lachte das Mädchen freundlich an, küßte es und sprach: »Ich danke dir, daß du mich erlöst hast. Mein Großvater hatte mich in einen Laubfrosch verwünscht, und nicht eher konnte ich wieder eine menschliche Gestalt annehmen, bis mich ein Mädchen freiwillig mit in sein Bett nahm.«

Noch denselben Tag zog nun der Prinz mit dem Mädchen fort in sein Königreich und nahm sie zu seiner Frau, und sie hatte es gut bei ihm bis an ihr Ende.

Wilhelm Busch
Der verwunschene Prinz

Illustrationen von Walter Crane zu »The Frog Prince« (nach der Ausgabe London 1922)

Wilhelm Busch
Die beiden Schwestern

Es waren mal zwei Schwestern,
Ich weiß es noch wie gestern.
Die eine namens Adelheid
War faul und voller Eitelkeit.
Die andre, die hieß Kätchen
und war ein gutes Mädchen,
Sie quält sich ab von früh bis spät,
Wenn Adelheid spazierengeht.
Die Adelheid trank roten Wein,
Dem Kätchen schenkt sie Wasser ein.

Einst war dem Kätchen anbefohlen,
Im Walde dürres Holz zu holen.
Da saß an einem Wasser
Ein Frosch, ein grüner, nasser;
Der quakte ganz unsäglich
Gottsjämmerlich und kläglich:
»Erbarme dich, erbarme dich,
Ach, küsse und umarme mich!«

Das Kätchen denkt: Ich will's nur tun,
Sonst kann der arme Frosch nicht ruhn!
Der erste Kuß schmeckt recht abscheulich.
Der gräsiggrüne Frosch wird bläulich.

Der zweite schmeckt schon etwas besser;
Der Frosch wird bunt und immer größer.

Beim dritten gibt es ein Getöse,
Als ob man die Kanonen löse.
Ein hohes Schloß steigt aus dem Moor,
Ein schöner Prinz steht vor dem Tor.
Er spricht: »Lieb Kätchen, du allein
Sollst meine Herzprinzessin sein!«
Nun ist das Kätchen hochbeglückt,
Kriegt Kleider schön mit Gold gestickt
Und trinkt mit ihrem Prinzgemahl
Aus einem goldenen Pokal.

Indessen ist die Adelheid
In ihrem neusten Sonntagskleid
Herumspaziert an einem Weiher,
Da saß ein Knabe mit der Leier.
Die Leier klang, der Knabe sang:
»Ich liebe dich, bin treu gesinnt,
Komm, küsse mich, du hübsches Kind!«

Kaum küßt sie ihn,
So wird er grün,

So wird er struppig,
Eiskalt und schuppig.

Und ist – o Schreck! –
Der alte kalte Wasserneck.

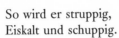

»Ha!« lacht er. »Diese hätten wir!«
Und fährt bis auf den Grund mit ihr.

Da sitzt sie nun bei Wasserratzen,
Muß Wassernickels Glatze kratzen,
Trägt einen Rock von rauhen Binsen,
Kriegt jeden Mittag Wasserlinsen;
Und wenn sie etwa trinken muß,
Ist Wasser da im Überfluß.

Die Königstochter
und die Schorfkröte

Es war einmal ein König, der hatte eine einzige Tochter. Das war eine rechte Wildtaube, trieb sich am liebsten mit den Jungen herum und sprang vom Morgen bis zum Abend über Block und Stock. Als sie zehn Jahre alt geworden war, lag sie den ganzen Tag mit ihrem Boot auf dem Wasser, und dabei kam es einmal, daß ihr das goldene Geschmeide, welches ihr der alte König zum Geburtstag geschenkt hatte, vom Arme glitt und in das Wasser fiel. Da war die Not groß, denn das Armband war von unermesslichem Werte, und der König sah auf das Geld; er liess darum alle Fischer seines Königreiches kommen, die mußten eine Woche lang den See abfischen. Aber obgleich sie Tag und Nacht arbeiteten und den ganzen Grund aufwühlten, sie konnten das Geschmeide nicht finden; es war verschwunden und blieb verschwunden. Eines Tages stand die Prinzessin am Strande und sah betrübt vor sich hin, da plätscherte es im Wasser, und eine große, dicke Schorfkröte kam auf den Sand gekrochen und glotzte die Prinzessin an und sprach: »Was giebst du mir, wenn ich dir das Armband wieder schaffe?« – »Ein Goldstück so groß, wie ein Thaler!« antwortete die Königstochter hastig, denn Lieberes konnte ihr auf der ganzen Welt nicht geschehen, als das Armband wieder zu bekommen; aber die Schorfkröte sprach: »Für Gold und Silber schaff' ich dir das Geschmeide nicht; doch wenn du mir drei Wünsche gewährst, tauch' ich es dir aus dem Seegrund herauf.« Sagte die Prinzessin: »Da muß ich schnell meinen Vater fragen«, und husch war sie im Schloß und im Zimmer des alten Königs und erzählte ihm den Handel. »Was wird sich eine alte, dicke Schorfkröte wünschen«, dachte der König, »und am Ende ist das Armband drei Wünsche wert«; er erlaubte darum seiner Tochter, der Schorfkröte das Versprechen zu geben. Ei, was war das plumpe Tier froh, als es die Worte der Königstochter hörte, eins fix drei war es wieder im Wasser, und noch ein paar Augenblicke, so patschte es aus dem See heraus und trug das Armband um den Hals gehängt. Die Prinzessin nahm es geschwind ab und fragte nach den drei Wünschen. »Die fordere ich, wenn es mir paßt«, antwortete die Kröte und kroch in das Wasser; die Königstochter aber lief mit ihrem Armband zum Schlosse und wußte sich vor Freude gar nicht zu lassen. Die Prinzessin war mittlerweile achtzehn Jahre alt geworden und hatte die

Geschichte mit dem Armband schon ganz vergessen, da klopfte es eines Tages, als sie gerade mit Vater und Mutter bei Tische saß, an die Thüre. Der Diener lief und machte auf; patsch, patsch kam die dicke Schorfkröte herein gekrochen und sprach: »Prinzeßchen, ich komme heute um ein Rätselchen. Mein erster Wunsch soll sein, daß ich drei Wochen lang mit dir an Königs Tisch speise.« – »Daraus wird nichts!« sagte die Prinzessin. »Du hast mir aber versprochen, daß ich drei Wünsche frei haben solle für das Armband«, erwiderte die Schorfkröte. Sagte der alte König: »Was versprochen ist, muß gehalten werden«, und damit war die Sache abgemacht. Der Diener mußte das Tier auf einen Stuhl neben die Prinzessin setzen, vor ihm stand ein Tellerchen, und die Königstochter legte darauf von allen Speisen, die auf den Tisch kamen. Als die drei Wochen vergangen waren, sprach die Schorfkröte: »Jetzt thu ich den zweiten Wunsch. Du sollst mir jeden Morgen mein Bettchen machen, und ich will drei Wochen lang im Schlosse schlafen.« – »Nun seht einmal die närrische Kröte an«, sagte die Prinzessin und wollte

Illustration von Edward H. Wehnert, London
1853 zu Grimm's Household Stories

96

davon nichts wissen. Aber wenn der alte König auch sehr auf das Geld sah, ein rechtschaffenes Herz hatte er darum doch, und er sprach: »Das hilft nicht; du hast's versprochen, und was ein Mensch versprochen hat, muß er auch halten, der König und Königskinder vornehmlich.« So wurde der dicken Schorfkröte auch der zweite Wunsch erfüllt; sie schlief drei Wochen lang in dem Schlosse, und jeden Morgen machte ihr die Prinzessin das Bettchen. Nachdem die Zeit verflossen war, kam die Königstochter in große Sorgen, was sich das unverschämte Tier zum Dritten wünschen möchte. Und richtig, es war auch schlimm genug! »Prinzeßchen«, sagte die Schorfkröte, »jetzt habe ich noch einen Wunsch frei, und da wünsche ich mir denn, daß ich drei Wochen lang neben dir in deinem Bettchen schlafe.« Die Königstochter hatte sich nun zwar schon an das Tier gewöhnt, auch schien es ihr lange nicht mehr so häßlich und garstig, wie im Anfang; aber als sie diese Worte hörte, hielt sie sich doch die Ohren zu und lief zu dem alten König und sprach: »Vater, das dritte kann ich nicht thun. Das kalte glibbrige, glabbrige Ding will in meinem warmen Bettchen schlafen!« Der König wußte noch gar nicht, was seine Tochter wollte; als er aber erfuhr, daß es sich um die dritte Bitte der Kröte handle, sagte er: »Liebes Kind, das hilft nicht; wer A sagt, muß auch B sagen; du hast das Versprechen gegeben und mußt es auch halten.« – »Aber ich lege mein Röckchen dazwischen«, rief die Prinzessin, und das that sie auch, damit ihr das Tier ja nicht zu nahe käme. Auch zählte sie die Tage an ihren zehn Fingern ab, so sehr sehnte sie sich, daß sie den häßlichen Gast los würde. Als nun die letzte Nacht vergangen war und der Morgen dämmerte und die Prinzessin sich herum drehte und eben zugreifen wollte, um die Schorfkröte aus dem Bette zu werfen, was erblickte sie da? Da war's keine Schorfkröte mehr, sondern ein wunderschöner Prinz, mit einem goldenen Stern auf der Brust. Der erzählte ihr, daß er in eine Schorfkröte verwünscht gewesen sei, nun aber habe sie ihn erlöst, und wenn sie es wolle, würde er sie gern zur Frau nehmen. Das war freilich etwas anderes, als die garstige Schorfkröte, und sie sagte sogleich ja, und nachdem sie sich angekleidet hatten, gingen sie zu dem alten König und baten ihn um seinen Segen. Der ließ noch an demselben Tage Verlobung und Hochzeit zugleich feiern, und als er starb, wurde der Prinz sein Nachfolger im Reich. Dort lebte er mit seiner jungen Frau Königin in Glück und in Frieden, und wenn sie nicht gestorben sind, leben sie heute noch.

Pommersches Märchen
Die Königstochter
und die Schorfkröte

De Kreet

Enmool wäre Gärtnerschlied, de hadde sick am See e
Stick Land genome, un wielt et da e hipsch Jelejenheit
wär, bude se sick e Hus un lewde da. Se hadde een inzje
Dochtä, de heet Wilhelminke. Enmool sull se wat schiere,
un se docht, äh, kunnst je ok jliek am See schiere, denn
brukst nich de Wotä to schleppe! Un et jing ok allä goot.
Se schiert un deed mit ehre kliene Händkes, un wie se
binoh fertig wär, full ehr de goldne Ring vom Fingä un rin
in e See, un so veel se socht, he wär wech. »Ach nee«,
seed se, »de kannst ok nich no Hus gohne, wat ware bloß
de Illre sägge, dat ons olet Arwstick, de Ring wech is. –
Wenn mi eenä dene Ring weddä brocht, he kunn verlan-
ge, wat he wull, ick micht et em dohne!«
Wie se dat nu jesäggt hadd, da keem e grot grulich Kreet
anjeschwemmt un hadd dene goldne Ring im Mul. Det
Mäke freid sick un nehm dene Ring un ehre Sache un jing
no Hus. Et wär ok allä goot.
Up eens, in de Nacht, da kratzd et immä an de Deer, de
Wilhelminke woogd up un docht: »Mein Zeit – sullst
verjete häbbe de Katt rin to lote?« Oowä da fung et an to
singe:

Wilhelminke, ick will in de Stoow,
Wilhelminke, ick will in de Stoow!
Du weetst, wat du am See – e seedst,
Als ick det Ringlein weddä jäw.
Wilhelminke, ick will in de Stoow.

Nu grud sick de Wilhelminke, oowä wat wär to moke, se
hadd et versproke un mußt et nu hole. Se stund up un leet
de Kreet rin un leed sick weddä in et Bedd. Oowä da fung
et weddä an to singe, dene ganze Vers, blos biske
andersch.

»Wilhelminke, ick will int Bedd« usw.

Wat bleew de arme Merjell äwrig, se stund up, wickelt de
grurije Kreet in a Koddä un leed se ant Foodend. Denn
kroop se ok rin un tooch de Feetkes an sick, dat se wiet
wech wär von de Kreet. – Oowä da sung et ok all weddä
siene Vers, oowä weddä biske andersch:

»Wilhelminke, ick will in e Schoot« usw.

De arm Merjell eisd sick rein to Dot, oowä wat hulp et, se
muß de Kreet nehme. Oowä kaum dat se se im Schoot
hadd, sung et:

»Wilhelminke, ick will up e Bug« usw.

»Ok dat noch«, docht de arm Merjell, oowä se nehm de Kreet ok uppen Bug.

»Wilhelminke, ick will in e Arm!« sung de Kreet.

»Miendsweje terwärj mi«, docht de arm Merjell un nehm de Kreet in e Arm.

»Wilhelminke, ick will e Kuß« usw., sung de Kreet.

»Dat is bol mien Dot«, dacht de Merjell, oowä se docht, wat se versproke hadd, un deet ok dat noch. Da jew et e Knall, un vär ehr stund e Prinz un dangd ehr, dat se em täleesd hadd, denn he wär als Kreet verwunsche jewese. Nu wär de Freid grot un ok bol Hochtied, un de Wilhelminke brukt nu, als Prinzefru, nich mehr silwst schiere.

Ostpreußisches Märchen
De Kreet

H. Campendonk, »Das Märchen« (o. J.). Aus: Ilse Bang, Die Entwicklung der deutschen Märchenillustration, München 1944

Froschkönig. Radierung von Heinrich Vogeler 1896. Hier spielt die
norddeutsche Landschaft, Moor, Heide, Birken, Gewässer, ebenso hinein wie bei Ubbelohdes Märchenzeichnungen die hessische Heimat-
region. Das Menschenpaar kontrastiert mit der Tierwelt; jedes Lebe-
wesen jedoch wird graphisch in die Landschaft eingebunden.

Die Froschfee

Eine arme Witwe lebte allein mit ihrem Sohn in einer elenden Hütte am Rande eines großen Waldes. Die arme Frau hätte ihren Sohn gern in die Schule geschickt mit den andern Kindern seines Alters, aber ihre Not gestattete es ihr nicht, und sie war gezwungen, ihr Kind jeden Tag, den Gott geschaffen hatte, durch Gestrüpp und Dickicht in den Wald zu schicken, um Holz zu sammeln. Das Holz, das Wilhelm, so hieß der Knabe, heimbrachte, wurde in zwei Teile geteilt: die größeren Stücke wurden an die reichen Dorfleute verkauft, und die kleinen Zweige und Reiser blieben zu Hause, um im Sommer die Suppe zu kochen und im Winter die Hütte zu heizen. Eines Tages war der kleine Junge wieder in den Wald gegangen. Eine Menge totes Holz war gesammelt, und er hatte schon ein beträchtliches Bündel beisammen, als er plötzlich kurze durchdringende Schreie hörte, die von dem nahe gelegenen Pfad kamen.

»Was mag das sein?« fragte sich Wilhelm. »Ist da vielleicht ein armes Tier in Gefahr?«

Und schnell lief er hin. Ein riesiger Fuchs hatte ein hübsches Laubfröschchen gepackt und wollte es gerade verspeisen, als Wilhelm erschien. Das mutige Kind trat dem Fuchs entgegen und zwang ihn, das grüne Fröschchen loszulassen.

»O das hübsche Tier!« rief das Kind. »Ich werde es nach Hause mitnehmen.«

Vorsichtig hob Wilhelm den Frosch auf und steckte ihn in seine Tasche. Mit seinem Bündel auf dem Kopf kam er nach Hause.

»Mutter, sieh nur den schönen Laubfrosch, den ich im Walde gefunden habe. Ich werde ihn in ein großes Gefäß mit Wasser setzen, wenn du es mir erlaubst.«

»Was willst du mit diesem Frosch, Wilhelm? Du findest überall Frösche im Walde.«

»Das ist wahr, aber sie sind nicht wie dieser Frosch.«

Und der kleine Junge erzählte, wie er diesen Laubfrosch gerettet hatte.

»Dann laß ihn hier, aber sorge gut für ihn, denn es wäre nicht recht, ihn hierzubehalten und ihn sterben zu lassen.«

Von diesem Tage an kehrte der Wohlstand ins Haus der Witwe zurück; sie fand eine volle Börse in ihrer Truhe, ohne daß es sich aufklärte, wer sie dort hingelegt hatte. Dann fiel ihr eine Erbschaft zu, so daß die gute Frau ihren Sohn in die Dorfschule schicken konnte und danach in die

Stadtschule. Und bald wurde der Jüngling so gelehrt, so gelehrt, daß er als er durch ganz Deutschland und durch ganz Frankreich reiste, niemandem begegnete, der imstande gewesen wäre, es in bezug auf Wissen mit ihm aufzunehmen. Ihr könnt euch denken, wie glücklich seine Mutter war, und oft sagte sie zu ihren Dorfnachbarinnen: »Der Laubfrosch, den mein Sohn im Walde gefunden hat, muß wohl die Ursache all des Glückes sein, das uns begegnet.«

Dafür liebte sie auch das Laubfröschchen, und sie pflegte es aufs sorgfältigste.

Eines schönen Tages kehrte der junge Gelehrte von seiner Reise zurück. Nachdem er seine Mutter umarmt hatte, wollte er den grünen Laubfrosch sehen.

»Liebes Tierchen«, sprach er zu ihm, »ich danke dir für

»Da hüpfte der Frosch hinein, ihr immer auf dem Fuße nach ...« Federzeichnung von Emanuela Wallenta

alles, was du für meine Mutter und für mich getan hast. Du sollst mit uns speisen und den Ehrenplatz bei Tisch einnehmen.«

Das Laubfröschchen begann zu springen und zu tanzen, als hätte es Wilhelms Rede verstanden.

Dann, als das Essen aufgetragen war, kam es aus seinem Unterschlupf heraus und setzte sich auf den Sessel, der ihm bestimmt war.

Da aber verwandelte sich plötzlich der Laubfrosch in ein junges Mädchen von großer Schönheit; das hatte große blaue Augen und lange blonde Haare, die auf seinen Schultern wehten. Niemals hatte der junge Gelehrte soviel Schönheit bei einem irdischen Wesen vereinigt gesehen. Nach kurzem Schweigen sprach das liebenswürdige Geschöpf zu ihm:

»Ich bin eine Waldfee. Du warst mir schon oft aufgefallen, wenn du im Gestrüpp und im Dickicht tote Zweige suchtest, und ich bewunderte deinen Mut und deinen Arbeitseifer. Ich wünschte dir Gutes, und darum hatte ich die Gestalt eines Laubfrosches angenommen, um dein Herz zu erproben. Du hast die Prüfung gut bestanden, und du bist alles dessen würdig, was ich für dich und deine Mutter getan habe; denn ich hatte die Börse in die Truhe gelegt, und auch ich hatte das Geld geschickt, das als Erbschaft eines verstorbenen Verwandten ausgezahlt wurde; ich war es auch, die dir Klugheit und wissenschaftlichen Geist schenkte. Jetzt möchte ich dich etwas fragen: ich liebe dich, willst du mich heiraten?«

»Schöne Fee, gewiß möchte ich dich gern zur Frau, aber wir haben unser kleines Vermögen für meinen Unterricht und für meine Reisen ausgegeben, und es bleibt uns fast nichts mehr. Ich möchte nicht, daß du Not leidest.«

»Ist es nur das, was dich zurückhält? Dann ... sieh meine Macht!«

Und die Fee ergriff eine Handvoll Bohnen, die dort in einem Sack standen, und verwandelte sie in schöne blanke Goldstücke.

So entschloß sich der junge Gelehrte, und acht Tage später wurde die Hochzeit in der Kirche des Nachbardorfes gefeiert.

Wie groß aber war seine Verwunderung, als er bei der Rückkehr von der Messe an Stelle der Hütte, die er am Morgen verlassen hatte, ein wunderbares Schloß sah. Wieder war es die Fee, seine Frau, die durch ihre Macht in so kurzer Zeit den herrlichen Palast errichtet hatte, wo sie seither mit ihrem Gatten viele Jahre lang glücklich lebte.

Elsässisches Märchen
Die Froschfee

Der Froschkönig

Ist ein König gewesen, der hatte drei Töchter, aber er war krank. Nicht weit, in der Nähe stand ein Brunnen und dort konnte niemand Wasser nehmen. Da war so ein großer Frosch und der ließ keinen Wasser nehmen. Da träumte dem König, wenn er möchte Wasser aus dem Brunnen kriegen, so könnt er gesund werden.

Da machte sich die älteste Tochter auf und ging zu dem Brunnen, und wollte Wasser schöpfen. Aber der Frosch erlaubte ihr das nicht, sondern sprach: »Gib mir zuerst einen Kuß, dann will ich dir Wasser geben!« – »Oh«, sagte sie, »einem Frosch wer' ich keinen Kuß geben, das hab ich nicht nötig!« und sie ging fort.

So machte sich die Zweite auf, und kam zum Brunnen und wollte Wasser schöpfen. Aber der Frosch erlaubte es nicht, sondern sprach: »Gib mir zuerst einen Kuß, dann will ich dir Wasser geben!« – »Oh«, sprach sie, »einem Frosch einen Kuß zu geben, das mag ich doch nicht, das wäre ja etwas Gefährliches!« Dann ging sie fort, kam nach Hause und brachte kein Wasser nicht.

Da sprach die Jüngste: »Ich werd nun gehen, ich wer' schon Wasser bringen!« und kam zum Brunnen und wollte Wasser schöpfen. Da sprach der Frosch: »Zuerst gib mir einen Kuß, dann will ich dir Wasser geben!« – »Ah«, sagt sie, »einem nassen Frosch kann man doch keinen Kuß nicht geben!« Aber Wasser wollte sie doch gern haben, ihres Vaters Wunsch erfüllen. Aber einen Kuß wollte sie ihm doch nicht geben, sondern sie tat, als wollte sie weggehen. Da sprach der Frosch: »Hat dich's doch so bange, daß ich so kaltnaß bin, dann nimm schon dein Taschentuch vor den Mund und gib mir einen Kuß!« Da nahm sie das Taschentuch vor den Mund und gab dem Frosch einen Kuß. Und der Frosch stieg herab und schöpfte ihr das Wasser und brachte es selbst in die Höhe. Und sie brachte das Wasser ihrem kranken Vater und der wurde von der Stunde an gesund. Und es wurde gegen Abend, da klopfte was an der Tür und sang:

Mach mir auf mach mir auf, dem König seine jüngste Tochter

Da ich auf dem Brünnlein saß, da du mir die Eh' versprachst dem König seine jüngste Tochter.

Sie wollte ihm nicht aufmachen. Jetzt sagte der König: »Na, sofort gehst und machst dem auf!« Da machte sie ihm auf und er kam reingerutscht, gleich bis an den Tisch. »Jetzt setz mich auf den Stuhl«, sagte er. Sie wollte nicht, es war ihr doch eine Schande, die Schwestern lachten

»Der Froschkönig erblickt die goldene
Kugel...« Illustration von Hermann Vogel zu
Grimms Märchen, München 1894

Ostdeutsches Märchen
Der Froschkönig

Naturalistisches Märchendekor. Illustration
von Hermann Vogel zu Grimms Märchen,
München 1894

über sie. Aber der König sagte: »Tu es!«, und sie nahm
ihn, setzte ihn auf ihren Stuhl. Jetzt fing er wieder an zu
singen:

»Mach mir Ess'n, mach mir Ess'n,
Dem König seine jüngste Tochter.
Da ich auf dem Brünnlein saß,
Da du mir die Eh' versprachst,
Dem König seine jüngste Tochter!«

Jetzt sagt der König, sie muß Essen machen. Dann hat sie
ihm gemußt Essen machen, dem König seine jüngste

Tochter. Hat sie ihm Essen gebracht, ihm hingestellt auf den Tisch. Aber vom Stuhl aus konnte er nicht langen, sie mußte ihn auf den Tisch rauf setzen. Jetzt fängt er wieder an zu singen:

»Komm mit mir essen, komm mit mir essen,
Dem König seine jüngste Tochter.
Da ich auf dem Brünnlein saß,
Da du mir die Eh' versprachst,
Dem König seine jüngste Tochter!«

No, jetzt hat sie nicht mit ihm essen wollen, sie hat sich geschämt und hat angefangen zu weinen. Doch der König hat gesagt: »Was wirst du dich für ihn schämen, mußt mit ihm essen gehen!« Ging sie mit ihm essen. Wie sie gegessen hatten, bedankte er sich fein und sang wieder:

»Mach mir's Bett, mach mir's Bett,
Dem König seine jüngste Tochter.
Da ich auf dem Brünnlein saß,
Da du mir die Eh' versprachst,
Dem König seine jüngste Tochter!«

No, jetzt hat sie ihm auch das Bett machen müssen, dem König seine jüngste Tochter. Bringt sie ihn ins Bett herein. Wie er im Bett ist, fängt er wieder an zu singen:

»Komm mit mir schlafen, komm mit mir schlafen,
Dem König seine jüngste Tochter.
Da ich auf dem Brünnlein saß,
Da du mir die Eh' versprachst,
Dem König seine jüngste Tochter!«

Na jetzt, schlafen will sie aber doch nicht gehen mit dem kalten Frosch, und die Schwestern lachen doch so sehr über sie. Sagt der Vater: »Mußt gehen, geh!« Was soll sie machen, hat doch der Vater ihr's geheißen! Geht sie schon. Sie liegt ein Weilchen neben dem kalten Frosch, dann nimmt sie ihn und brennt (wirft) ihn heraus in eine Ecke. »Oh«, sagt er, »so willst du's mit mir machen, so einen Lohn soll ich haben! Nimmst mich gleich ins Bett oder ich ruf den Vater!« Sie will nicht. »Kannst dort sitzen in einer Ecke« sagt sie. »Bleibt mir egal«, sagt der Frosch, »ruf ich den Vater!« Da hebt sie ihn auf, wirft ihn ins Bett an die Wand und läßt ihn liegen.
Am Morgen, als sie erwachte, da hatte sie einen sehr schönen Königssohn neben sich im Bett liegen, und der Brunnen wurde ein Schloß, und sie verheirateten sich beide. Und wenn sie nicht gestorben sind, so leben sie heute noch.

Ostdeutsches Märchen
Der Froschkönig

»Königstochter, jüngste, mach mir auf…«
Illustration von Hermann Vogel zu Grimms Märchen, München 1894

Der Froschbräutigam

Es gab einmal eine fürchterliche Alte. Diese Alte besaß rein gar nichts. Sie hatte nicht einmal genügend zu essen. Eines Tages schwoll ihr Knie an. Das Knie begann zu schmerzen. Es schwoll von Tag zu Tag mehr an, wurde dicker und dicker. Die Schmerzen wurden unerträglich. Das Knie war bereits so groß wie der Kopf eines Yaks; doch immer noch schwoll es weiter an.

Dann – nach neun Monden und zehn Tagen – platzte das Knie auf; heraus hüpfte ein Frosch.

Die Alte war totunglücklich und klagte: »Nun passiert mir auch noch so etwas! Alles Unglück dieser Welt kommt auf mich! Mein ganzes Leben lang verfolgt mich das Pech. Nie habe ich etwas besessen, nie hatte ich genug zu essen. Was man ein Zuhause, Ehe, gute Verwandte, Freunde nennt, nie habe ich solches gekannt! Nach all dem werde ich auch noch krank, und aus meinem Knie hüpft – was noch nie ein Mensch gesehen und gehört – ein Frosch. Zerquetschen will ich ihn! Totschlagen will ich ihn!«

Sie legte zwei Steine zurecht: den großen unten, den kleinen oben und machte Anstalten, den Frosch zwischen diesen zu zermalmen.

Da rief der Frosch: »Mutter! Bitte! Töte mich nicht! Ich werde dir von Nutzen sein!«

»›Mutter‹ hat er zu mir gesagt, von Nutzen wird er mir sein, sagt er. Welchen Nutzen mag er mir bringen? Wie kann er nützlich für mich sein?« dachte sie zweifelnd. Doch sie tötete ihn nicht. Als dann ihr Knie wieder heftig zu schmerzen begann und Blut und Eiter heraustraten, da dachte sie: »Es hilft nichts, ich muß ihn töten! Nur Schande bringt er mir! Niemals wird er mir von irgendwelchem Nutzen sein! Wie könnte er auch? Nur Kummer und Sorgen beschert er mir.«

Wieder legte sie die Steine zurecht: den großen unten, den kleinen oben.

Der Frosch rief: »Mutter! Töte mich nicht! Von Nutzen werde ich dir sein!«

»Oh, nützlich wird er mir sein, sagt er. ›Mutter‹ hat er zu mir gesagt!« Sie tötete den Frosch nicht.

Doch eines Tages, als sie nichs zu essen, nichts zu trinken hatte, da dachte sie: »Nur Kummer und Sorgen habe ich! Ein Frosch ist mir aus dem Knie geboren. ›Mutter‹ sagt er zu mir. Ich schäme mich so deshalb! Kein Mensch hat je dergleichen gehört und gesehen! Unfaßbar, daß ich solches geboren habe! Aus den Augen will ich ihn mir schaffen! Töten will ich ihn!«

Diese wie auch die weiteren Illustrationen schuf der Tibeter Wangdjal zu: Füchse des Morgens - Märchen einer tibetischen Nomadenfrau. Hrsg. Margret Causemann, Köln 1986

Sie legte die Steine zurecht: den großen unten, den kleinen oben. »Mutter!« rief der Frosch, »töte mich nicht! Ich werde dir von Nutzen sein!«

Da sprach die Mutter: »Was immer du an Nützlichem zu tun vermagst, tue es!«

Da sie von ihm auf der Stelle verlangte, etwas zu tun, sprach der Frosch: »Mutter, soll ich ins Königshaus gehen und einen Sack Tsampa stehlen?«

»Wenn du das fertigbringst, so ist das besser als gut!« bemerkte die Mutter.

»Du wirst sehen, daß ich zu stehlen vermag!« erwiderte der Frosch.

Er ging zum Königshaus, stahl einen Sack voll Tsampa und kam zurück.

»Mutter«, rief er, »hebe den Türvorhang hoch!«

»Komm doch herein, wo du herausgegangen bist!« rief die Mutter zurück.

»Oh, ich könnte wohl dort hereinkommen, doch ich habe hier einen vollen Tsampasack, der paßt nicht hindurch!«

»Kann das wahr sein?« dachte die Mutter und schaute nach.

Tatsächlich, da stand der Frosch mit einem Sack Tsampa.

Eines Tages, als das ganze Tsampa aufgegessen war, da sprach der Frosch: »Mutter, soll ich bei der Königsfamilie ein Dzo stehlen gehen?«

»Oh, wenn du das fertigbringst, so ist das besser als gut!« antwortete die Mutter.

Der Frosch ging.

Er kam zurück, das Dzo an der Leine mit sich führend.

»Mutter, öffne die Tür!« rief er.

»Komm doch herein, wo du herausgegangen bist!« rief die Mutter zurück.

»Mutter, ich komme da wohl hindurch; doch ich habe das Dzo bei mir, das paßt da nicht durch!«

»Ist das nun die Wahrheit oder nicht?« dachte die Mutter, öffnete die Tür und schaute hinaus.

Tatsächlich, da stand der Frosch mit einem Dzo.

Eines Tages sprach der Frosch: »Mutter, soll ich beim König um die Hand seiner Tochter anhalten?«

»Wenn du des Königs Tochter erlangen kannst, so ist das besser als gut!« bemerkte die Mutter.

»Ich werde die Königstochter schon bekommen!« sagte der Frosch.

»Ja, gut, wenn du sie erhältst, so ist das besser als gut!«

»Ich erhalte sie!«

»Nun, wenn du deiner Sache so sicher bist, dann geh!« forderte die Mutter ihn heraus.

Der Frosch ging. In einiger Entfernung vom Königshaus klomm er auf einen Misthaufen, auf solch einen Misthaufen, wie die Nomaden ihn aufzuschichten pflegen. Sodann rief er mit lauter Stimme.

»Der König soll kommen! Der König soll kommen!« Einer der niedrigen Minister kam.

Der Frosch schimpfte: »Eine bodenlose Beleidigung ist das! Ich habe gesagt, der König soll kommen! Und nun kommst du daher, ein mieser Minister!«

Der Minister berichtete dem König: »Ich war dort. Er sagte: ›Eine bodenlose Beleidigung ist es, daß du daherkommst. Ich habe gesagt, der König soll kommen!‹ Er hat mich fortgeschickt.

Es ist kein Mensch, der so gesprochen; es ist ein Frosch, der auf einem Misthaufen sitzt.«

»Was soll das bedeuten? Was soll das bedeuten?« fragte sich der König und schickte einen seiner mittleren Minister.

Der mittlere Minister ging zu dem Frosch.

»Daß du kommst, ist eine bodenlose Beleidigung! Habe ich nicht gesagt, der König soll kommen? Daß du kommen sollst, habe ich niemals gesagt!« schimpfte der Frosch wütend, so daß es dem anderen in den Ohren sauste.

Der Minister wurde zurückgeschickt. Nichts vermochte er auszurichten.

Ein hoher Minister ging zu dem Frosch.

»Oh, was macht ihr? Ich habe gesagt, der König soll kommen! Daß du kommst, ist eine bodenlose Beleidigung!« schimpfte der Frosch und schickte den Minister zurück.

Nun kam der König persönlich zu dem Frosch.

»Was ist los? Was hast du zu sagen? Du hast gesagt, ich soll kommen! Nun, was hast du zu sagen?« fragte der König.

»Gib mir deine Tochter! Das habe ich zu sagen!« antwortete der Frosch.

»Oh du unverschämter, dreister alter Frosch! Denkst du etwa, dir wird man die Tochter des Königs geben? Meinst du, ich würde dir meine Tochter geben? Du unverschämter alter Frosch!« regte sich der König auf.

»Falls du mir deine Tochter nicht gibst, werde ich dich für einen langen lichten Tag so krumm wie einen krummen Berg krümmen!« warnte der Frosch.

»Ach du Nichtsnutz«, antwortete der König, »wenn du die Macht dazu hast, dann tu's doch!«

Der Frosch krümmte ihn krumm wie einen krummen Bogen.

»O, wenn du mich aus dieser Lage wieder befreist, werde

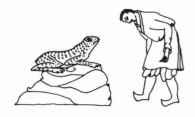

ich dir meine Tochter geben!« winselte der König.

»In Ordnung«, sprach der Frosch.

Doch der König dachte nicht daran, seine Tochter herzugeben. Da sprach der Frosch: »Wenn du mir deine Tochter nicht gibst, werde ich dich zu einem geraden dünnen Pfeil machen!«

Der König antwortete: »Wenn du die Macht dazu hast, dann tu's doch!«

Der Frosch ließ ihn wie einen langen, geraden dünnen Pfeil herumstolzieren.

»Bringe mich heraus aus dieser Lage! Die Tochter, ich will sie dir geben!« rief der König.

Wieder gab der König seine Tochter nicht her.

»Ah«, sprach der Frosch, »wenn du mir deine Tochter nicht gibst, werde ich dich zu einem machen, der sein ganzes Leben lang lauthals lachen muß!«

»Tu's doch!« antwortete der König, »wennn du die Macht dazu haben solltest!«

Der Frosch machte ihn zu einem, der bei Tag und bei Nacht aus dem Lachen nicht mehr heraus kam, der vor lauter Lachen die Maulsperre bekam, die Ober- und Unterkiefer nicht mehr zusammen zu bringen vermochte.

»Mache das rückgängig! Mache das rückgängig! Ich gebe dir die Tochter!« winselte der König.

Doch wieder gab der König seine Tochter nicht her.

Da der Frosch den König schon wieder geheilt hatte, sprach er nun: »Wenn du mir deine Tochter nicht gibst, werde ich dich zu einem machen, der sein ganzes Leben lang weinen muß!«

»Ach du Nichtsnutz!« sprach der König, »wenn du die Macht dazu hast, dann tu's doch!«

Der Frosch machte ihn zu einem, der bei Tag und bei Nacht nichts tat als weinen und schluchzen, der weder eine Arbeit verrichten, noch schlafen, noch essen konnte.

»Du bist wahrhaft ein ungewöhnliches Wesen«, sprach nun der König. »Es geht kein Weg daran vorbei, ich werde dir die Tochter wohl geben müssen! Es hilft nichts! Ich gebe sie dir!« Der König gab ihm die Tochter. In der Königsfamilie suchte man etwaige Verwandtschaftsverhältnisse abzuklären. Man traf die Hochzeitsvorbereitungen. Die Tochter erhielt ihre Mitgift. Der Frosch führte sie als seine Braut mit sich fort.

Zu Hause angekommen, rief der Frosch: »Mutter, öffne die Tür!«

»Komme doch herein, wo du herausgegangen bist!« rief die Mutter.

»Ich komme wohl da hindurch, wo ich herausgegangen bin, doch das Mädchen kommt nicht hindurch!«

Die Mutter dachte: »Das kann doch nicht wahr sein!« und schaute nach. Da stand der Frosch mit dem Mädchen vor dem Zelteingang. Er hatte tatsächlich die Tochter des Königs erlangt, hatte des Mädchens Besitzanteil erlangt. Er hatte das Mädchen bekommen.

Sie errichteten ein großes Anwesen und lebten zusammen – das Mädchen, der Frosch und die Mutter.

Wenn der Frosch mit dem Vieh in die Berge ging, dann fehlte, wenn er zurückkam, auch nicht ein Tier. Er vermochte die Tiere beisammen zu halten und des Abends vollständig in ihre Pirks zurückzutreiben.

Wenn der Frosch im Haus blieb, verrichtete er die Hausarbeiten aufs beste. Er verstand es, die köstlichsten Speisen zuzubereiten und alles gemütlich herzurichten.

Das Mädchen dachte: »Das ist wirklich ein ungewöhnlicher Frosch! Wenn er als Viehhirte geht, geht auch nicht ein Tier verloren. Bleibt er im Haus, verrichtet er alle Hausarbeiten aufs beste. Das ist wahrhaft höchst wundersam!«

Eines Tages veranstaltete der König ein großes Fest.

Das Mädchen sprach zu dem Frosch: »Der König veranstaltet ein Fest, auch wir zwei sollten hingehen. Ich möchte hingehen!«

»Ja, Mädchen, gehe du hin!« sagte der Frosch.

»Frosch, laß uns zusammen gehen!« bat sie.

»Ich mag nicht hingehen!« antwortete der Frosch. »Ich bin doch ein Frosch ... Wenn ich hingehe, wird man mich zertrampeln! Zwischen den vielen hin und her rennenden Menschen, Hunden und Pferden kann ich leicht unter die Hufe eines Pferdes geraten und dann bin ich tot! Ich gehe nicht hin!«

»Der Frosch hat recht«, dachte das Mädchen. Sie zog ihre schönsten Kleider an, legte all ihren Schmuck an und ging alleine zum Fest.

Der Frosch, in Wirklichkeit ein göttliches Wesen, zauberte sich einen Apfelschimmel herbei, der wie das kleine Neb-Vögelchen seine Farben zu wechseln vermochte.

Er selbst legte sein Froschkleid ab und ritt zum Fest. In seiner wahren Gestalt war er anzuschauen wie eine göttliche Statue: so ebenmäßig, so edel, so rein und von so großer Ausstrahlungskraft ... Unter den versammelten Festtagsgästen gab es niemanden seinesgleichen.

Das Mädchen dachte: »Oh, daß es in dieser Welt etwas so Prächtiges gibt! Wenn ich doch solch einen Mann als Lebenspartner hätte! Schade, niemals werde ich jemanden bekommen wie ihn!«

Den ganzen Tag folgte sie ihm nach und bewunderte ihn. Sie konnte sich nicht satt sehen. Von den festlichen Veranstaltungen des Königs nahm sie keine Notiz.

»Ach, wäre es wunderbar, wenn ich jemanden wie ihn als Ehemann hätte! Wie prächtig er ist, welch eine feine Gestalt er hat, wie edel er ist! Ach, wenn ich ihn doch als Partner hätte!«

Er bemerkte, daß sie ihm den ganzen lieben langen Tag auf Schritt und Tritt folgte und nur Augen für ihn besaß. Er ließ darum seine Schönheit und Strahlkraft nur noch mehr anwachsen.

Am Abend, als das Mädchen sich auf den Rückweg machte, ließ er sich flugs auf einem Sonnenstrahl nach Hause tragen, damit er vor ihr dort ankomme.

Zu Hause angekommen, legte er sein Froschkleid an, verrichtete die Küchenarbeit, und richtete es so ein, daß er von dem Herdruß genügend abbekam.

Das Mädchen stand noch ganz unter dem Eindruck des Tages: »Wie traurig, ich habe hier solch einen ekligen Frosch als Ehemann! Ach wäre es schön, wenn ich jeman-

den zum Partner hätte, der so schön, so edel, so gut wäre, wie der, den ich heute auf dem Fest gesehen habe!«

Als sie spät am Abend zusammenlagen, fragte der Frosch: »Was hast du denn heute alles auf dem Fest zu sehen bekommen?«

»Oh, auf dem Fest war heute ein Mann, so schön, so prächtig, wie es in ganz Tibet, wie es in der ganzen Welt niemanden gibt. Er war von solch edler Gestalt und Strahlkraft! Niemand in der Welt ist ihm gleich! Verglichen damit, war das Spektakel des Königs gar nichts!« erzählte das Mädchen.

»Wie kann das sein?« fragte der Frosch.

»Wirklich«, antwortete sie, »noch nie habe ich solch einen prächtigen Ehrfurcht gebietenden Menschen gesehen!«

Der Frosch lächelte in sich hinein. Dann schliefen sie.

Am folgenden Morgen kreisten die Gedanken des Mädchens immer noch um die Begegnung des letzten Tages. »Wie wunderbar, wie unvergleichlich er doch war!« dachte sie. Sie mochte nicht zu Hause bleiben. Sie sprach zu dem Frosch: »Verrichte du die Hausarbeiten! Ich gehe heute in die Berge!« Ihr war eine Idee gekommen! Sie tat nur so, als gehe sie in die Berge. Sie ging ein Stück weit, kehrte dann um, versteckte sich hinter einem Stapel Sachen und beobachtete den Frosch.

O Freude! Sie sah, wie der Frosch seine Froschhaut ablegte und sich an die Hausarbeit begab.

»Welch eine Freude! Er ist es! Wie ich mich freue!« Sie wurde ganz aufgeregt vor Freude, konnte kaum noch einen klaren Gedanken fassen. »Was soll ich tun? Soll ich zu ihm hin rennen? Was ist jetzt das Klügste? Er hat sein Froschkleid abgelegt.«

Der prächtige Mensch ging, um Wasser zu holen.

Während er auf dem Wege zur Wasserstelle war, rannte das Mädchen vor, packte die Froschhaut und warf sie ins Feuer. Sodann ging sie in die Berge.

Am Abend kam sie mit den Tieren zurück.

Da ihr Ehemann kein Froschkleid mehr hatte, blieb ihm nichts anderes übrig, als sich in seiner wahren Gestalt zu zeigen. Schön und edel wie er war, verrichtete er die Herdarbeit, kochte das Essen, reinigte die Töpfe.

Als sie eintrat, fragte er: »Mädchen, was hast du mit meiner Froschhaut gemacht?«

»Ich habe nichts gesehen!« antwortete sie.

»Was, was hast du mit der Froschhaut gemacht?« fragte er noch einmal.

»Meine Augen haben nichts gesehen! Ich verstehe

nichts! Ich weiß nichts! Ich habe nichts gesehen!« log sie.
»Was soll das: ›Ich habe nichts gesehen! Ich weiß nichts!‹
Du hast heute meine Froschhaut verbrannt! Das wird kein
gutes Ende nehmen!«
»Was ist? Wieso denn? Was ist denn los?« wollte nun
das Mädchen wissen.
»Andere werden mich nun haben wollen. Andere Frauen
werden um mich werben. Die Prinzessinnen werden
mich als Bräutigam haben wollen. Der König wird mich als
Minister haben wollen. Es war nicht richtig von dir, meine
Froschhaut zu vernichten!«
Nun begann das Mädchen zu weinen und zu schluchzen.
»Was können wir denn tun, damit das nicht geschieht?
Gibt es einen Ausweg?« fragte sie.
»Kleide mich in häßliche, abgetragene Kleider! Kleide
mich in ein verrottetes Schaffell! Gib mir nur schlechtes
Essen; denn wenn ich gutes Essen zu mir nehme, wird
meine Schönheit und Strahlkraft nur noch mehr anwachsen! In häßlicher Kleidung, in einem verrotteten Lamm-
fell, mein Gesicht mit Ruß verschmiert, werde ich von
nun an in den Bergen leben! Aber komme mir nicht und
sage: ›Ich möchte, daß du bei mir bist. Ich möchte, daß du
mir immer nahe bist und so weiter‹. Hier zu Hause kann
ich unmöglich bleiben, denn dann werde ich mir Feinde
ohne Zahl machen! Alle Männer werden mich hassen.
Der König wird mich hassen! Die Fürsten, die Minister
werden mich hassen! Ihre guten Frauen werden mich für
sich haben wollen, und darum werden ihre Männer mich
hassen! Ich kann nicht hier bleiben. Ich muß mich in die
Berge zurückziehen. Nur hin und wieder werde ich bei
Nacht zu dir kommen!«
Sein Gesicht beschmierte er mit dem Ruß des Herdes
und dem Ruß der Tonkochtöpfe. Er zog ein verrottetes
Schaffell an und ging in die Berge. Das Mädchen blieb
zurück im Haus.
Von Zeit zu Zeit kam er des Abends, um bei ihr zu sein.
Ihr Glück reichte bis an den Himmel heran.
Die Sorgenblätter waren von den Wassern hinfortgetra-
gen. Arrak und Butteröl tropften, tropften, tropften.
Buttermilch und Molke flossen in Strömen.
So lebten sie.

Tibetisches Märchen
Der Froschbräutigam

Die Froschjungfer

Es waren einmal ein Mann und eine Frau, die waren sehr arm und hatten drei Söhne. Und eines Tages sagte der erste zu seinem Vater, er wolle in die Welt hinausziehen und sein Glück versuchen. Dasselbe sagte der zweite. Und auch der jüngste sagte, er wolle in die Welt hinausziehen und sein Glück versuchen. Weder Vater noch Mutter waren damit einverstanden, aber schließlich erteilten sie ihnen ihre Erlaubnis und ihren Segen, und die drei verließen das Haus.

Der Älteste hatte schon eine gute Strecke zurückgelegt und kam zur Mittagszeit an eine Pappel, unter der er sich ausruhte. Auf dem Baum aber war eine Froschjungfer, die sang. Er wurde aufmerksam auf den Gesang und rief von unten zu ihr hinauf: »Warum kommt Ihr nicht herunter, mein Fräulein, und verheiratet Euch mit mir?« – »Nein, nein; ich kann nicht hinuntersteigen«, antwortete die Froschjungfer, »Ihr könnt mit mir nicht zusammen leben.« Und als der Bursche immer heftiger bat, die Sängerin möchte doch herunterkommen, tat sie schließlich einen großen Sprung und fiel auf den Umhang des Burschen. Als er sie erblickte, sagte er: »Was soll ich denn mit einem Frosch?« Und er warf ihn weg und ging weiter.

Bald darauf kam der zweite der Brüder an die Pappel. Und als er die Froschjungfer so lieblich singen hörte, sprach er: »Kommt herunter, ich will Euch heiraten.« – »Nein, mein Herr«, sagte die Froschjungfer, »gestern kam ein Bursche hier vorbei, der hieß mich auch heruntersteigen, als er mich singen hörte, und als ich unten war, warf er mich voll Verachtung weg.« Der Bursche aber sagte: nein, er wolle sie wirklich heiraten, und er breitete seinen Umhang aus, damit sie darauf springen könnte. Und die Froschjungfer sprang herunter, und als er sie sah, sagte er: »Puh, wie ekelhaft! Was soll ich denn mit einem Frosch?« Und er warf ihn weg wie sein Bruder.

Nun gut; dann kam der jüngste Bruder, und er hörte auch das Singen von der Pappel her wie seine Brüder. Und da sagte er, sie möchte von der Pappel herunterkommen, er wolle sie gern kennenlernen. »Nein, ich tue es nicht«, sagte die Froschjungfer zu ihm. »Zwei Burschen sind schon hier vorbeigekommen, und beide haben mich herunterkommen lassen und dann voller Verachtung weggeworfen.« Und der Bursche bat immer mehr darum und drang so sehr in sie, daß die Froschjungfer schließlich sagte: »Gut, dann breite deinen Umhang aus, damit ich darauf springen kann.« Und der Bursche breitete seinen Umhang aus, und die Froschjungfer machte einen großen Sprung und fiel darauf. Und der Bursche nahm sie und hob sie hoch und steckte sie in seine Tasche. Und dann zog er weiter seines Weges.

Bald darauf kam er von ungefähr an den Ort, in dem seine beiden Brüder lebten. Sie waren schon verheiratet und sehr stolz geworden. Der jüngste Bruder aber war verheiratet mit seiner kleinen Froschjungfer. Und als sie alle zusammen waren, schrieben sie ihren Eltern und sagten, sie seien verheiratet und sie schickten ihnen Geschenke. Und die Frauen der beiden älteren Brüder schrieben ihnen auch einen Brief, aber die Froschjungfer nicht. Die Froschjungfer konnte nicht schreiben. Und die Eltern schrieben zurück, sie möchten Geschenke von ihren Frauen haben; sie erbaten sich drei gestickte Tücher.

Da wurde der jüngste Bruder sehr traurig, und als er bei seiner kleinen Froschjungfer war, erzählte er ihr, was seine Eltern geschrieben hatten. »Mach dir keine Sorgen«, sprach die Froschjungfer, »wirf mich weit in das Meer hinaus.« Und er ging ans Meer und warf sie hinein, und bald darauf erschien die Froschjungfer wieder mit einem kleinen Umhang aus feinstem Tuch mit purem Gold bestickt. »Schick diesen kleinen Umhang deinen Eltern«, sagte sie zu ihm. Und die Söhne schickten ihre Geschenke hin, und die Eltern staunten sehr über das Geschenk der Frau des Jüngsten, über diesen kleinen Umhang aus feinstem Tuch mit purem Gold bestickt. Da schrieben die Eltern zurück, sie wollten gerne die Frauen ihrer Söhne kennenlernen, und sie möchten doch mit ihnen nach Hause kommen. Sie antworteten, es sei gut, sie wollten mit ihren Frauen zu Besuch kommen. Da wurde der Jüngste wieder sehr betrübt und sagte: »Was soll ich nur jetzt machen? Die Froschjungfer hat auch

Mexikanisches Märchen
Die Froschjungfer

Illustration von Noye Smith zu Grimms Märchen, Nürnberg 1903.

nicht die geringste Ähnlichkeit mit einer Frau.« Und er ging nach Hause und erzählte der kleinen Froschjungfer, was die Brüder beschlossen hatten; und sie antwortete, er solle sich darum nicht grämen, denn sie werde auch mitgehen.

Und da die kleine Froschjungfer wußte, daß die Frauen der Brüder sehr neidisch waren, machte sie sich daran, ihren Kopf mit Kalk zu waschen. Als die Neidischen dies sahen, sagten sie, sie wollten auch ihren Kopf mit Kalk waschen. Und da wuschen sie sich den Kopf mit reinem Kalk, und all ihr Haar fiel ihnen aus, und sie waren ganz kahl. Und abends ging die Froschjungfer zu ihrem Mann und sagte zu ihm: »Nimm mich jetzt und wirf mich in die tiefste Stelle des Meeres. Dort mußt du mich lassen, und morgen sollst du mich dann wieder holen.« Der Bursche tat dies, aber er war sehr niedergeschlagen darüber, denn er glaubte, daß er seine kleine Froschjungfer nicht wiedersehen werde.

Am nächsten Morgen stand er sehr früh auf und ging an dieselbe Stelle des Meeres, um seine kleine Froschjungfer zu holen. Da sah er am Ufer eine wunderschöne Prinzessin in einem kostbaren Wagen. »Hier bin ich«, sagte sie zu ihm, »jetzt bin ich endlich entzaubert. Wir wollen nun deine Eltern besuchen.« Und sie fuhren schnell heimwärts, denn die anderen Brüder waren mit ihren Frauen schon aufgebrochen. Und sie kamen zusammen bei den Eltern an, die waren sehr glücklich, ihre Söhne mit den Frauen zu sehen. Die Frauen der beiden älteren Brüder trugen Kopftücher, damit man nicht sehen konnte, daß sie kahl waren. Und am Abend gaben die glücklichen Eltern für sie ein Essen, so gut es ihre geringen Mittel erlaubten.

Und während sie aßen, tat die Prinzessin so, als ob sie die Kichererbsen und die Eier in ihrem Halsausschnitt verschwinden ließ, aber in Wirklichkeit ließ sie richtige Silbermünzen darin verschwinden. Und die beiden Kahlköpfe versteckten daraufhin richtige Kichererbsen und Eier in ihren Ausschnitten. Und nach dem Essen begannen alle zu tanzen. Und alle bewunderten die schöne Prinzessin und nannten sie immer wieder die schönste Frau, die man je gesehen hatte. Und bei jeder Drehung, die sie beim Tanzen machte, fielen die Silbermünzen auf den Boden. Und bei den Neidischen fielen die Kichererbsen und die Eier heraus, die sie während des Essens in ihren Ausschnitt gesteckt hatten. Und die Gäste hin zum Geld, und die Hunde hin zu den Kichererbsen und den Eiern!

Janosch erzählt Grimms Märchen

Es war einmal ein schöner, grüner Froschkönig, dessen Reich in einem kleinen Teich im Wald war. Jeden Tag schwamm er an eine Stelle, wo das Wasser einen Meter sechsundsiebzig tief war und spielte mit einer goldenen Luftkugel. Er ließ sie aufsteigen, schwamm ihr schnell nach, fing sie noch in letzter Sekunde auf, bevor sie die Wasseroberfläche erreicht hatte, und war bald so geschickt, daß er sie noch einen Zehntel Millimeter unter der Oberfläche erwischen konnte.

Das war sein liebstes Spiel. Und einmal – er hatte an diesem Tag wohl schlecht geschlafen, war etwas nervös, auch blendete ihn die Sonne – griff er daneben, und die goldene Luftkugel entwischte ihm, flog hinaus und ging ihm verloren.

Der Froschkönig erschrak, denn draußen auf dem Land war er nicht gut zu Fuß, und wo sollte er lange suchen? Möglicherweise flog die goldene Luftkugel auch in der Luft herum? Ein Frosch ist kein Vogel, wie hätte er sie fangen können?

»Möglicherweise flog die goldene Luftkugel auch in der Luft herum? Ein Frosch ist kein Vogel, wie hätte er sie fangen können...«
Zeichnung von Janosch 1972

Da fing er jämmerlich an zu weinen und zu quaken: »Was ist das für Unglück! Ach, du lieber Wassermann, was soll ich nur machen? Ich gäbe alles dafür, hätte ich die goldene Luftkugel nur wieder.«

Da steckte ein Mädchen ihren Kopf durch das Schilf und sagte: »Was jammerst du, Frosch?«

»Da soll ich nicht jammern«, sagte der Froschkönig. »Ich habe meine schöne goldene Luftkugel verloren. Sie muß dort oben irgendwo in der Luft schweben.«

Der schöne, grüne Frosch gefiel dem Mädchen aber sehr gut, und sie verliebte sich in ihn und sagte: »Wenn du mich heiratest, fang' ich dir die goldene Luftkugel.«

Das Mädchen freilich gefiel dem Froschkönig überhaupt nicht, denn sie war nicht besonders schön. Sie hatte zu kurze Beine, war auch etwas zu dick, und ihre Haare waren wie Stroh. Aber in seiner Not und weil er an der goldenen Luftkugel hing, dachte er: »Was redet sie da für dummes Zeug? Sie kann erstens gar nicht tauchen und vielleicht auch nicht schwimmen, außerdem ist sie doch ein Landmensch. Was will sie hier unten im Wasser?«

»Sie setzte sich neben ihn an den Tisch und aß von seinem goldenen Teller...« Zeichnung von Janosch 1972

Dann sagte er: »Ja, ist gut. Aber bring mir schnell meine goldene Luftkugel!«

Das Mädchen fing ihm die Kugel, aber kaum hatte er sie, tauchte er unter und verschwand.

Und kaum war er unter Wasser, vergaß er auch das Mädchen, aber sie rief ihm nach: »Warte! Warte doch auf mich, mein lieber Mann! Hast du mir nicht die Ehe versprochen?«

Sie zog sich das Kleid aus und sprang ins Wasser.

Unten saß der Froschkönig in seinem Wasserschloß beim Essen, als es an die Tür klopfte und jemand rief: »Mach mir auf, Froschkönig! Laß mich herein, hier bin ich, deine liebe Frau!«

Der Froschkönig stellte sich taub, aß weiter und sie rief wieder: »Froschkönig, mein Liebster! Mach doch endlich auf, hier bin ich, Suse, deine Frau!«

Da sagte der alte Vater des Froschkönigs, der als weise und gerecht galt und von allen Wassertieren sehr geehrt wurde: »Was ist das für ein Lärm, mein Sohn?«

»Ach«, sagte der schöne, grüne Froschkönig, »das ist so

»Da nahm der schöne, grüne Froschkönig das Mädchen in den Schwitzkasten...« Zeichnung von Janosch 1972

ein kümmerliches Mädchen, Beine zu kurz, Hintern zu dick, von oben bis unten keine Schönheit, die will mich heiraten. Aber sie gefällt mir nicht.«

»Wie kommt sie dazu?« fragte der alte Froschkönigsvater. »Du wirst ihr doch nichts angetan oder ihr gar deine Pfote versprochen haben?«

Der schöne, grüne Froschkönig war etwas verlegen und sagte: »Nein, ja, ich meine – ich habe, nein – das heißt, das war so...«

»Also, mit der Sprache heraus«, sagte der alte Froschkönigsvater, »ich sehe schon, du hast ihr den Kopf verdreht. Geh hinaus und hole sie herein!«

Und vor der Tür rief das Mädchen:

»Froschkönig, mein Liebster,
laß mich 'rein!
Weißt du nicht mehr, was du mir oben
im Schilf versprochen hast?
Froschkönig, Liebster,
laß mich doch endlich herein.«

Als der schöne, grüne Froschkönig die Tür aufmachte und sie hereinkam und ihn so sah in seiner schönen grünen Farbe, die hier unten im Wasser in seinem Schloß noch viel, viel schöner war, verliebte sie sich noch mehr in ihn und wurde ganz verrückt davon. Sie setzte sich neben ihn an den Tisch und aß von seinem goldenen Teller. Es gab Fliegen und Mückensalat, aber sie aß mit so viel Appetit, als wären es gezuckerte Himbeeren. Die Liebe macht wohl blind und taub und verwirrt die Sinne. Dann trank sie aus seinem goldenen Becher, aber es war wieder nichts anderes drin als Wasser aus dem Teich, doch es schmeckte ihr wie Honigmilch.

»Komm, mein lieber Mann«, sagte das Mädchen, »ich bin ja sooo müde.« Der schöne, grüne Froschkönig erschrak, wenn er daran dachte, daß er neben dem kümmerlichen Mädchen liegen sollte. Aber weil sein gerechter, alter Vater ihn so streng anschaute, nahm er das Mädchen bei der Hand und schwamm mit ihr in sein Gemach.

Doch kaum waren sie aus dem Saal, nahm der schöne, grüne Froschkönig das Mädchen in den Schwitzkasten und wollte sie im tiefen Wasser ertränken. Sie ließ das alles gutwillig mit sich geschehen, und kaum war sie tot, verwandelte sie sich in eine schöne, grüne Froschprinzessin, schöner als jede Froschprinzessin, die der Froschkönig je sah.

Da war der Froschkönig aber sehr, sehr froh, und er umarmte sie. Sie war seine Gemahlin, und durch das

Wasser schien von oben der Vollmond. Und immer, immer wieder erzählte ihm die schöne, grüne Froschkönigin, wie sie sich einmal als Froschkind zu weit vom Teich ihres Vaters weggewagt hatte, von einem Menschen gefangen worden war, in ein Glas gesteckt wurde und sich dann in ihrer letzten Not in einen Menschen verwandeln mußte, um in dem Glas nicht elendig zu sterben. Damit aber kein anderer Mensch sie zur Frau nahm, wurde sie ein kümmerliches, häßliches Mädchen. Hätte sie nämlich oben auf dem Land geheiratet, hätte sie nie, nie wieder zurückgedurft ins kühle Wasser.

Entzauberung

Elisabeth Hofelich

Du wolltest Deinen goldnen Ball zurück.
Ich bracht' ihn Dir; Du schenktest mir Vertrauen
Und überwandst Dein anfängliches Grauen,
Und ich genoß ein nie erahntes Glück.

Ein stolzer Prinz erschien ich Deinen Augen,
Da liebestrunken mich Dein Arm umschlang,
Und dennoch fragt' ich zweifelnd mich und bang:
Wie lange mag der holde Trug uns taugen?

Ein kurzer Rausch! Vorüber war die Nacht,
Als Du aus süßen Träumen jäh erwacht
Aufschrakst und schreiend schleudertest mich fort.

Nun sitz ich wiederum am alten Ort
Und fühl' bestürzt: Du wirst mir nie verzeihn;
Ich bin ein Frosch und kann nichts andres sein.

Marie Luise Kaschnitz # Bräutigam Froschkönig

Wie häßlich ist
Dein Bräutigam
Jungfrau Leben

Eine Rüsselmaske sein Antlitz
Eine Patronentasche sein Gürtel
Ein Flammenwerfer
Seine Hand

Dein Bräutigam Froschkönig
Fährt mit Dir
(Ein Rad fliegt hierhin, eins dorthin)
Über die Häuser der Toten

Zwischen zwei
Weltuntergängen
Preßt er sich
In Deinen Schoß

Im Dunkeln nur
Ertastest Du
Sein feuchtes Haar

Im Morgengrauen
Nur im
Morgengrauen

Erblickst Du seine
Traurigen
Schönen
Augen.

Märchen 1951

Johannes Mario Simmel

Dieses Märchen
von einer jungen, wunderschönen Dame
erhielt den Buchmacherpreis von 1951
– nicht. Wien.

Frau Pfotenhauer läßt sich scheiden.

Herr Pfotenhauer ist sehr verzweifelt darüber, denn er liebt seine Frau. Er weiß nicht, was er tun soll, um sie zu versöhnen. Alle Versuche, die er bisher in dieser Richtung unternommen hat, sind gescheitert. Herr Pfotenhauer ist völlig fertig mit den Nerven. Nicht nur seiner Frau wegen. Auch sonst. Er versteht die Welt nicht mehr. Er hat mir seine Geschichte erzählt, und ich erzähle sie hier wieder, nicht etwa aus schnöder Lust an einem Skandal oder aus Gründen der persönlichen Bereicherung, sondern vielmehr aus dem lauteren Motiv, Herrn Pfotenhauer wieder zur Selbstachtung zu verhelfen und ihn heimkehren zu lassen in die große und glückliche Gemeinde zufriedener und geliebter Ehemänner.

Zu den Mitgliedern dieser Gemeinde zählte noch vor einer Woche auch Herr Pfotenhauer. Er führte das geregelte Leben eines braven Bürgers, er hatte im Diesseits (als Prokurist eines alteingesessenen Unternehmens) und im Jenseits (als pünktlich zahlendes Mitglied einer Sterbekasse und als guter Christ) für seine Frau und sich selbst ausgesorgt. Solange er lebte, bekam er fünftausend Schilling, und sie fuhr im Sommer an den Ossiacher See. Wenn er starb, bekam sie fünfzigtausend Schilling, und er fuhr, so hoffte er, in den Himmel. Herr Pfotenhauer: ein harmonischer, ausgeglichener Charakter.

Das war genau vor einer Woche.

Frau Pfotenhauers Schwester in Graz erkrankte und telegrafierte, sie bedürfe nächtlicher Betreuung. Frau Pfotenhauer verabschiedete sich von ihrem Mann am Samstagnachmittag mit drei Küssen und allen jenen Ermahnungen, die man in der Einleitung zum ›Struwwelpeter‹ nachlesen kann (Sei hübsch ordentlich und fromm, bis nach Haus ich wiederkomm!). Dann entführte ein Triebwagen sie in die Ferne.

Herr Pfotenhauer winkte ihr nach. Vom Winken wurde er durstig. (Es war ein sehr heißer Tag.) Er trank ein Stehviertel in der Restauration. Einen Grünen Veltliner, der es in sich hatte. Beim nächsten Viertel setzte Herr Pfotenhauer sich. Man verrichtet wichtige Arbeiten nicht im Stehen…

Wer glaubt, es sei an diesem Tage etwas Außerordentliches geschehen, der irrt. Herr Pfotenhauer trank ein bißchen, das war alles. Dann ging er nach Hause, schlief ein und träumte von seiner Frau. Das Außerordentliche geschah erst am nächsten Abend.

... frei und ein Frosch zu sein.
Cartoon von Smilby

»Das Ganze zurück. Ich möchte sofort wieder
ein Frosch sein!«
Zeichnung von Buck Brown

Am nächsten Abend fuhr Herr Pfotenhauer nach Grinzing. Allein, nur mit ein paar Zigarren. Er rauchte die paar Zigarren und trank ein paar Viertel dazu. Als er sich auf den Heimweg machte, war es halb zwei.

Der Mond schien hell. Die Grinzinger Allee lag in seinem grünen Licht, und Herr Pfotenhauer schritt nachdenklich und in sich gekehrt fürbaß. Alles war in bester Ordnung. Er dachte an seine Frau, die gute, und fand, daß Gott es wohl mit ihm meinte und ihn in Döbling wohnen ließ. Denn er hätte es auch böse mit ihm meinen können und ihn in Simmering wohnen lassen können.

Solchen erbaulichen Gedanken hing Herr Pfotenhauer nach, als er plötzlich eine weibliche Stimme vernahm. Es war eine zarte und süße Stimme, eine Stimme voll Jugend, Schmelz und Wärme, und sie sagte: »Servus, Liebling!«

Man wird es Herrn Pfotenhauer nicht verdenken, daß er stehenblieb und sich umsah. Wer wäre nicht stehengeblieben? Die Stimme schien hinter einem Baum hervorzukommen, und Herr Pfotenhauer ging um diesen herum. Erfolglos herum. Es stand niemand dahinter. Herr Pfotenhauer schüttelte den Kopf und wollte gerade weitergehen, als die Stimme wieder sagte: »Servus, Liebling.«

Diesmal sagte sie es wärmer und drängender. Herr Pfotenhauer suchte wie besessen. Woher kam die Stimme? Woher?

Bei seinem besessenen Suchen blieb er plötzlich wie angewurzelt stehen. Vor ihm, im Gras neben einem Baum, saß ein kleiner grüner Frosch und sah ihn an. Der Frosch nickte Herrn Pfotenhauer freundlich zu und sagte mit der diesem nun schon bekannten süßen Mädchenstimme: »Ja, du hast recht gehört, ich habe dich angesprochen!«

Herr Pfotenhauer überschlug im Geist die Zahl seiner Viertel, dann sagte er energisch: »Frösche können nicht sprechen! Erzähl mir nichts!«

»Ich bin auch kein Frosch«, sprach die süße Mädchenstimme. »Ich bin eine wunderschöne, reiche Prinzessin, die ein böser Zauberer verhext hat.«

»Wie alt?« fragte Herr Pfotenhauer ebenso erstaunt wie wißbegierig.

»Einundzwanzig«, erwiderte der Frosch, der keiner war, und legte den Kopf schief. »Blond, blauäugig«, fügte er ungefragt hinzu.

»Was kann ich dagegen tun?« fragte Herr Pfotenhauer schwankend.

»Du könntest mich erlösen, Liebling«, sagte die Prinzessin.

»Wie das?«

»Indem du mich nach Hause nimmst und eine Nacht in deinem Bett schlafen läßt. Dann werde ich am Morgen erlöst sein und in meiner ganzen Schönheit vor dir stehen, dir angehören und dich lieben bis an der Welt Ende!«

Herr Pfotenhauer holte Atem. Seine Augen füllten sich mit Tränen. Er wurde sentimental. Das arme Tierchen, dachte er. Mein Gott, mein Gott, das arme Tierchen...

»Also gut«, sagte er schnell und steckte die Prinzessin in die Tasche. »Wenn ich dir damit einen Gefallen tue! Was kann schon passieren?«

»Danke, Liebling«, sagte die Prinzessin leise.

Frau Pfotenhauers Schwester wurde ganz schnell gesund, also traf Frau Pfotenhauer selbst schon am Montagmorgen wieder in Wien ein. Ihr Mann lag noch im Bett, als sie ankam. Er erzählte ihr wahrheitsgetreu alles, was sich ereignet hatte. Er beschönigte nichts, und er verschwieg nichts.

Er versuchte nicht, sich zu rechtfertigen.

Er sagte die Wahrheit, die reine Wahrheit.

Aber Frau Pfotenhauer hat ihm nicht geglaubt.

Sie läßt sich scheiden.

Johannes Mario Simmel
Märchen 1951

In jedem Kuß steckt ein Risiko ... und ein erlöster Frosch stellt sich leicht als greiser König heraus.
Aus: Katalin Horn, Märchenmotive und gezeichneter Witz, in: Österreichische Zeitschrift für Volkskunde, Neue Serie, Bd. XXXVII, Heft 4, Wien 1983

Franz Fühmann ## Die Prinzessin und der Frosch

Und der Frosch ritt grün in den Krönungssaal
auf einer Spur aus salzigem Schleim,
und sein Maul war naß und schwarz.
»Hilf, Vater!«
»Du hast dein Wort gegeben,
Froschkönigs Frau zu werden,
ich kann dir nicht helfen, mein Kind!«

Und der Frosch ritt der Prinzessin voran
und ritt hinein in ihr Schlafgemach,
und sein Maul war naß und schwarz.
»Hilf, Mutter!«
»Du hast dein Wort gegeben,
Froschkönigs Frau zu werden,
ich kann dir nicht helfen, mein Kind!«

Und der Frosch, er sprang auf das seidene Bett
und nahm die Prinzessin bei der Hand,
und sein Maul war naß und schwarz.
»Hilf, Bruder!« –
»Du hast dein Wort gegeben,
Froschkönigs Frau zu werden,
ich kann dir nicht helfen, mein Kind!«

Der Frosch, er schlüpfte unter die Deck
und winkte die Prinzessin zu sich,
und sein Maul war naß und schwarz.
»Hilf, Herrgott!« –
»Du hast dein Wort gegeben,
Froschkönigs Frau zu werden,
ich kann dir nicht helfen, mein Kind!«

Da schrie die Prinzessin: Ich bin ein Mensch,
und hilft mir keiner, so helf ich mir selbst;
und sie warf den Frosch aus dem Fenster hinaus.

Da war der Prinz erlöst.

Paralipomena zum Froschkönig

Barbara König

Es war einmal eine goldene Kugel, die fiel in einen Brunnen. Da tauchte ein Frosch aus dem Wasser und fragte:
»Was versprichst du mir, wenn ich sie dir wiederbringe?«
Antwortete die Prinzessin:
»Alles, was du willst.« Sagte der Frosch:
»Dann will ich von jetzt an Tisch und Bett mit dir teilen.«
Am nächsten Tag erschien der Grüne im Schloß und wollte vom Teller der Prinzessin speisen. Sprach der König, ihr Vater:
»Was du versprochen hast, mußt du auch halten!« Klagte die Tochter:
»Er hat mich erpreßt, Papa!« Doch der König blieb hart, und der Frosch fraß sich voll.
Am Abend, als die Prinzessin das Tier nicht auf ihr Zimmer nehmen wollte, wurde der König so zornig, daß er einen Becher vom Tisch nahm und gegen die Wand warf, und der Königstochter blieb nichts übrig, als den Nassen an einem Bein zu packen und in ihr Gemach zu tragen. Als er dort aber auf einem Platz in ihrem Bett beharrte, wurde sie genau so zornig wie ihr Vater, der König, ergriff den Lästigen und warf ihn gegen die Wand. Der Frosch zerplatzte mit einem Knall und sank als schöner Prinz zu Boden. Verwunderte sich die Prinzessin:
»Daß Küsse einen Zauber lösen, das habe ich gewußt, aber daß es auch mit Gewalt geht, das hätte ich nicht gedacht!«
»Die Küsse«, sagte der Prinz, »die holen wir nach.«
Sprach die Prinzessin:

Illustration von Ruth Hürlimann aus:
7 Märchen von Jacob und Wilhelm Grimm,
Zürich und Freiburg i. Br. (Atlantis Verlag) 1975

129

»Papa darf nichts von meinem Zorn erfahren; an seinen Töchtern will er Sanftmut sehen.«

»Aber eine Königstochter lügt nicht«, sagte der Prinz. Rief die Prinzessin:

»Fangt Ihr auch schon so an?«

Als der König am Morgen den schönen Schwiegersohn sah, hob er den Finger und sprach:

»Siehst du wohl, meine Tochter, das ist der Lohn des erfüllten Versprechens. Hättest du dich geweigert, den Frosch in dein Bett zu nehmen, so wäre dir dies Glück nie widerfahren.« Da errötete der Prinz, und die Prinzessin sagte:

»Gewiß, Papa.«

Nach der Hochzeit kam eine Kutsche mit acht weißen Pferden, die mit weißen Straußenfedern geschmückt waren, und holte das junge Paar in das Reich des Prinzen. Hinten auf der Kutsche stand der treue Heinrich. Begann die schöne Gemahlin:

»Nun will ich alles über die Hexe wissen, die Euch verzaubert hat. Wer war sie und warum tat sie es?«

»Ach, meine Liebste«, erwiderte der Prinz, »das ist eine lange Geschichte.«

»Wir haben eine lange Reise vor uns«, entgegnete die Prinzessin.

»Nun gut«, sagte der Prinz, »Ihr sollt es hören. Jene Hexe war eine Dame aus dem Hofstaat meiner Mutter, der Königin.« Sagte die junge Gemahlin:

»Ah-ha.«

Da hörten sie ein Krachen hinter sich, als ob etwas zerbräche, und der Prinz rief:

»Heinrich, der Wagen bricht!« Erwiderte Heinrich:

»Nein, Herr, der Wagen nicht, es ist ein Band von meinem Herzen, das da lag in großen Schmerzen, als Ihr in dem Brunnen saßt, als Ihr eine Fretsche wast...« Sprach der Prinz:

»Er ist der Treueste der Treuen.« Sagte die Prinzessin:

»Das will ich gerne glauben. Doch zurück zu Eurer Hexe: Wie sah sie aus? Wie war sie? Grundhäßlich und steinalt?«

»Genau genommen«, entgegnete der Prinz, »war sie keines von beiden.« Sagte seine Gemahlin:

»Ah-ha.«

Da krachte es abermals, so laut wie zuvor, und wieder rief der Prinz:

»Heinrich, der Wagen bricht!« Erwiderte Heinrich:

»Nein, Herr, der Wagen nicht, es ist ein Band von meinem Herzen, das da lag in großen Schmerzen, als Ihr in

»Bitte, glaubt mir, er ist wirklich ein Königssohn; immer macht er so dumme Witze!«
Cartoon aus: Katalin Horn, Märchenmotive und gezeichneter Witz, a. a. O.

dem Brunnen saßt, als Ihr eine Fretsche wast...«
»Der Treueste der Treuen«, sagte die Prinzessin, »ich
weiß. Und just im rechten Augenblick zur Stelle. Dessen-
ungeachtet sagt mir, wie hieß der Zauber, der jener Hexe
so viel Macht verlieh?«
»Ich fürchte«, sagte der Prinz, »es war ein Zauber von der
angenehmsten Sorte, den sie nach allen Regeln verstand.
Und erst, als dessen Wirkung nachließ, verkehrte sie ihn
in sein Gegenteil, sein böses...«
»Hoffen wir«, sagte die Prinzessin, »daß jene Dame das
Wünschen und Verwünschen seither aufgegeben
hat...«
»Solange ich im Banne Eurer sonnigen Augen stehe«,
entgegnete ihr Gemahl, »solange bin ich gegen jeden
fremden Zauber gefeit.«
»Wie denn«, rief die Prinzessin, »und länger nicht? –
Euch ist es offenbar bestimmt, von einem Zauber in den
nächsten zu fallen! – So soll es denn auch bleiben: am sel-
ben Tag, an dem der Bann meiner Augen zum ersten Mal
versagt, will ich Euch, just so wie jene Hexe, in einen naß-
kalt-abscheulichen Frosch verwandeln!« Noch ehe sie zu
Ende gesprochen hatte, krachte es zum dritten Male, so
daß der Prinz ihre Worte nicht verstand, sondern:
»Heinrich«, rief, »der Wagen bricht!«
»Nein, Herr, der Wagen nicht!« erwiderte die Prinzessin
an Heinrichs statt und lachte, so hell, daß der Prinz nicht
umhin konnte, sie in seine Arme zu schließen und ihr
abermals seine Liebe zu erklären:
»Euer Auge«, so sprach er, »gleicht der Oberfläche eines
Weihers, auf dem die Sonne spielt; Euer Mund ist die
zarteste aller Seerosenknospen, Euer Körper ein biegsa-
mes Rohr im Schilf...«
»Ich bitte Euch, mein Gemahl«, erwiderte die Prinzessin,
»für eine Zeit, zumindest, alle wäßrigen Vergleiche zu
lassen; später könnt Ihr immer noch darauf zurückkom-
men...« Sie wandte den Kopf, als erwartete sie ein Krachen, doch nichts rührte sich mehr. Alle eisernen Bande
waren abgefallen von diesem treuesten aller Herzen.
Heinrich war glücklich, der Prinz war glücklich; die Prinzessin war so glücklich, wie ihr ebenso scharfes wie sonni-
ges Auge es irgend zuließ.

Barbara König
Paralipomena zum Froschkönig

»Ich war ein Spielzeugfrosch – aber du hat-
test es ja so eilig, mich an die Wand zu
werfen.«
Cartoon aus: Eulenspiegel (Berlin DDR),
Nr. 35/1982

Mathias Richling   # Froschsein oder Froschbleiben

Der König der Tiere,
der Froschkönig,
saß am Ufer des Brunnens
und hatte gerade ein paar Kisten
mit Beziehung hinter sich
und hegte auch sonst viele Zweifel,
und zwar selbst,
indem er die Sätze sprach:
Ich muß auch mal zu mir finden.
Ich brauch' mal Zeit für mich allein.
Ich will auch mal ganz für mich sein.
Muß mich eben
um meiner selbst willen akzeptieren ...,
als eine
Prinzessin ausgestreckter Hand die Lippen stürzte
und auf ihn zuströmte.
»Bitte, nein, nein«,
stöhnte der Froschkönig,
»nicht, bitte, nicht an die Wand.
Ich will so bleiben, wie ich bin!«

»Es ist ein Jammer, als Frosch war er ein
glänzender Schwimmer!« Cartoon aus: Lutz
Röhrich, Der Froschkönig und seine Wandlungen, in: Fabula 20 (1979), S. 185

Immer lustig in Bullerbü

Astrid Lindgren

Und ich beeilte mich, die Kröte zu fangen. Denn jeder Mensch weiß doch, daß Kröten fast immer verzauberte Prinzen sind. In den Märchen, meine ich. Inga wußte das auch, und sie wurde neidisch auf mich und meine Kröte. [...] Aber gerade da sah ich eine kleine Kröte, die auf dem Grabenrand saß, und da sagte ich:

»O meine verzauberte kleine Kröte!«

»Ach, bitte, darf ich sie einmal halten«, bat sie.

»Halte du deine weißen Kaninchen«, sagte ich.

Aber Inga bat und bettelte, und da durfte sie meine Kröte eine Weile halten. »Stell dir vor, wenn es nun wirklich ein verzauberter Prinz ist«, sagte Inga.

»Der Faulbaumduft hat dir den Kopf verwirrt«, sagte ich. Aber dann dachte ich darüber nach. Vielleicht duftete der Faulbaum wirklich so stark in der Sonne, daß auch ich im Kopf verwirrt wurde. Denn plötzlich dachte ich doch: Wer will denn genau wissen, ob diese Kröte nicht doch ein verzauberter Prinz ist? Zu der Zeit, in der es verzauberte Prinzen gab, hatte es sicher auch *gewöhnliche* Kröten gegeben, die keine Prinzen waren. Und da konnte es doch geschehen sein, daß irgendeiner von den verzauberten Prinzen vergessen worden war – nur weil die Menschen gedacht hatten, es sei so eine ganz gewöhnliche Kröte. Und wenn sich damals keine Prinzessin bemüht hatte, ihn zu küssen, dann mußte er bis in alle Ewigkeit eine Kröte bleiben. Der Ärmste! Hier saß er nun im Graben von Bullerbü und war übriggeblieben! Ich fragte Inga, ob sie das nicht auch glaube. Sie glaubte es auch.

»Hm, dann haben wir nur noch eins zu tun: Wir müssen ihn küssen, damit der Zauber schwindet.«

»Igittigittigitt«, sagte Inga.

Aber da sagte ich zu ihr, wenn die Prinzessinnen in früheren Jahren genauso dumm und zimperlich gewesen wären wie sie, würden heutzutage sämtliche Gräben voll von verzauberten Prinzen sein.

»Aber wir sind doch keine richtigen Prinzessinnen«, lenkte Inga ein.

»Deshalb müssen wir es doch versuchen. Wenn wir uns gegenseitig helfen, geht es vielleicht.«

»Dann fang du an, Prinzessin Goldregen«, sagte Inga und hielt mir den verzauberten Prinzen hin. Ich setzte ihn auf meine Handfläche und sah ihn mir an.

Als ich daran dachte, daß ich ihn küssen sollte, hatte ich ein unangenehmes Gefühl im Magen. Aber das half mir jetzt nichts.

»Kein Wunder, daß dich noch keine Prinzessin geküßt hat – bei deinem Atem!« Cartoon

»Wie lange war Papi ein Frosch, bevor du ihn geküßt hast, Mami?« Cartoon aus: The Burlington Free Press, Ausgabe 25. 8. 1982

Da fiel mir etwas anderes ein.

»Du Inga, wenn es wirklich ein verzauberter Prinz ist, dann denk bitte nachher daran, daß es *meine* Kröte war.«

»Was meinst du damit?« fragte Inga.

»Nun, wegen der Prinzessin, die er dann heiratet, und wegen des halben Königreiches – du weißt schon!«

Aber da wurde Inga wütend.

»Wenn ich dir helfe, ihn zu küssen, dann gehört er mir genauso gut wie dir«, sagte sie. »Er soll nachher selbst wählen!«

Und wir machten aus, daß der Prinz selbst entscheiden sollte, ob er Prinzessin Goldregen oder Prinzessin Goldlack haben wollte. Und dann sagte ich:

»Eins, zwei, drei,
bei vier ist es vorbei,
beim fünften Male schallt es,
beim sechsten Male knallt es.«

Ich kniff die Augen zusammen und küßte die Kröte.

»Sicher ist er besonders stark verzaubert«, sagte Inga, als sich kein Prinz sehen ließ. »Ich glaube, es lohnt sich kaum, daß ich ihn noch küsse.«

»Versuch nur nicht, dich zu drücken«, sagte ich. »Bitte sehr, Prinzessin Goldlack!«

Da nahm sie die Kröte und küßte sie sehr schnell. Sie hatte es so eilig, die Kröte zu küssen, daß sie sie in der Eile in den Graben fallen ließ. Und husch, husch – fort war die Kröte.

»Du Nuß«, rief ich. »Da zieht er ab, unser verzauberter Prinz.«

»Weißt du was«, sagte Inga, »es müssen sicher echte Prinzessinnen sein, wenn es bei einem solchen Scheusal wirken soll.«

Bei der Steuerbehörde. »Zwischen 1962 und 1974 war ich Frosch. Dann – 1975 – war ich gekröntes Haupt, aber 1975 war ein furchtbar schlechtes Jahr für gekrönte Häupter...« Cartoon aus: Wolfgang Mieder, Modern Anglo-Amercian Variants of the Frog Prince, a. a. O.

Der Froschkönig

Peter Heisch

In jenen Zeiten, als das Wünschen noch geholfen hat (was alleine schon daraus erhellt, daß dieser Märchenanfang einem modernen deutschsprachigen Autor den zugkräftigen Titel für ein Buch mit märchenhafter Auflageziffer abgab), lebte in einer Stadt am See, die Sitz zahlreicher internationaler Organisationen war, eine junge, hübsche Diplomatentochter. Nahe bei der väterlichen Villa lag ein dunkler Wald, und hinter dem Wald befand sich ein gepflegter Golfplatz, der bis zu den Ufern des erwähnten großen Sees reichte. Wenn nun der Tag recht schön war, fuhr die von Langeweile geplagte Diplomatentochter in ihrem windschlüpfrigen Chevrolet hinaus zum Golfplatz, wo sie sich die Zeit damit vertrieb, daß sie, die in Judo und Karate gleichermaßen geübt war, achtzehnkarätige Golfbälle in die achtzehn Löcher des Golfplatzes zu versenken suchte. Dazwischen klingelte sie ihren Spielgefährten neckisch mit den Eiswürfeln im Whiskyglas zu, pflegte Konversation an der Club-Bar und verströmte ihren desodorierten Charme.

Nun trug es sich einmal zu, daß die goldene Golfkugel der Diplomatentochter nach einem besonders starken Schlag nicht in das dazu bestimmte Loch im Rasen fiel, sondern weit ihr Ziel verfehlte, über das leicht abfallende Gelände kullerte und geradewegs in den angrenzenden See hineinrollte. Die Diplomatentochter mit Namen Marguerita-Concepción-Edeltraut, von ihren Freunden kurz Mag genannt, blickte der entschwindenden Golfkugel nach. Aber sie verschwand im Wasser, und dasselbe war so trüb, daß man keinen Grund sah. Das ärgerte sie sehr; denn sie fürchtete, irgendein Landschaftsgärtner würde die goldene Golfkugel bei passender Gelegenheit schon finden, diese an sich nehmen und sich damit auf ihre Kosten bereichern. Da wurde sie wütend und vergoß in ihrem Zorn sogar ein paar Tränen.

Und wie sie so klagte, rief ihr jemand zu: »Was ist los, Diplomatentochter? Du schreist, daß man glauben könnte, du littest Not mit den Hungernden der Welt.« Mag sah sich um, woher die Stimme käme, erblickte jedoch nur einen Frosch, der seinen dicken Kopf aus dem Wasser streckte und sie dabei aus seinen großen, hervorquellenden Augen anblickte wie der Schlagerstar Karel Gott. »O Gott, bin ich erschrocken!« sagte das Mädchen und klagte darauf dem Frosch sein Leid darüber, daß ihm die goldene Kugel ins Wasser gefallen sei.

»Offen gesagt, jetzt wo ich den ganzen Schuldenberg meines Königreiches überblicke, möchte ich eigentlich lieber Frosch bleiben.«
Cartoon aus: Wolfgang Mieder, Modern Anglo-American Variants of the Frog Prince, a. a. O.

»Mensch hör auf! Ich dachte, du würdest dich vorher in einen Prinzen verwandeln.« Cartoon aus: Wolfgang Mieder, Modern Anglo-American Variants of the Frog Prince, a. a. O.

»Wenn's weiter nichts ist, so kann ich wohl Rat schaffen«, antwortete der Frosch. »Aber was gibst du mir, wenn ich dir die Golfkugel wieder heraufhole?«

»Alles was du willst«, erwiderte die im Abgeben von Versprechen erblich belastete Diplomatentochter. »Mein Kofferradio, die besten Peter-Alexander-Platten, ein Theaterabonnement für das Zürcher Schauspielhaus, einen Bon für einen Alpenrundflug«, zählte Mag auf und dachte bei sich: »Lauter Dinge, die ich ohnehin bald loswerden wollte.« Doch der Frosch schüttelte den Kopf und meinte: »Das Zeug läßt mich kalt. Aber wenn ich dein Spielgefährte sein darf, du mich liebhaben wirst und mir den Schlüssel deines Penthouse-Appartements gibst, so will ich hinuntertauchen und dir die goldene Kugel heraufholen.«

Mag willigte ein, in der Annahme, ein Frosch komme sowieso nie dazu, von diesen Zugeständnissen Gebrauch zu machen. Sie griff daher in den Ausschnitt ihres Kleides, wo sie den für amoureuse Abenteuer bestimmten Zweitschlüssel an einer Silberkette um den Hals hängen hatte, und warf ihn dem Frosch zu, der augenblicklich unter der Wasseroberfläche verschwand, um nach einer kleinen Weile wieder zu erscheinen, im Maul den goldenen Golfball haltend, den er vor ihr ins Gras warf.

Die Diplomatentochter war voller Freude, als sie die verloren geglaubte goldene Kugel wieder erblickte, nahm sie auf und eilte mit ihr davon. »Warte, warte, ich kann nicht so schnell laufen wie du«, quakte der Frosch hinter ihr her. Doch Mag hörte nicht auf ihn, setzte sich in ihren Sportwagen, startete mit pfeifenden Pneus und fuhr in

»Es ist einfach der Sinn für das genuin Froschhafte, an dem es der Menschheit heutzutage gebricht.« Cartoon aus: The New Yorker vom 11. 8. 1980

rasendem Tempo nach Hause, wobei sie unterwegs ein paar junge Frösche überfuhr, welche sich auf Wanderschaft in ein nahegelegenes Biotop befanden.

Am andern Tag, als gerade ihr Vater bei Mag im Penthouse weilte, der ihr den fälligen Monatsscheck überbracht hatte, da kam, plitsch-platsch, plitsch-platsch, etwas die Betontreppe heraufgekrochen, und als es oben angelangt war, klopfte es an der Tür und rief: »Diplomatentochter, Liebste, mach mir auf!« Mag ging zur Tür und wollte sehen, welcher von ihren zahlreichen Verehrern draußen wäre. Als sie aber den Frosch erblickte, warf sie die Tür hastig zu und kehrte ganz blaß an den Kaffeetisch zurück.

»Gibt's etwas Besonderes?« fragte ihr Vater, der ihre Aufregung sehr wohl bemerkt hatte.

»Nein«, antwortete Mag, die sich zu fassen versuchte, »da ist nur – draußen sitzt ein garstiger Frosch, der Einlaß begehrt.«

»Nanu«, wunderte sich der Vater. »Ist es nun schon so weit mit dir gekommen, daß du es sogar mit Froschmännern treibst? Oh, diese Exzentrik der heutigen Jugend nimmt doch immer verwirrendere Formen an.«

»Beruhige dich, Paps«, erwiderte Mag, »es ist nicht, was du vielleicht denkst, sondern ein richtiger Frosch.« Und sie erzählte ihm kurz die ganze Geschichte vom goldenen Golfball, den sie gestern verloren hatte und den ihr der Frosch gegen das leichtfertig abgegebene Versprechen, bei ihr wohnen zu dürfen, wieder beschafft hat.

Der Vater rieb sich lange nachdenklich das Kinn, was er nur angesichts äußerst verwickelter diplomatischer Situa-

»Ätsch, ich habe gelogen!« Cartoon aus: Wolfgang Mieder, Modern Anglo-American Variants of the Frog Prince, a. a. O.

»Unter uns gesagt, ich beginne mich zu fragen, ob sie überhaupt eine Prinzessin ist?« Cartoon aus: Punch vom 6. 10. 1982

»Ich bin Frosch. Du bist Frosch. Letztlich sind wir alle Frösche. Bis auf diesen blöden Märchenprinzen da hinten!« Cartoon aus: The New Yorker vom 6. 8. 1984

tionen zu tun pflegte. Dann sagte er: »Versprechen abzugeben, ist eine delikate Angelegenheit, eine Kunst, in der du noch einiges lernen mußt, meine Liebe. Vor der Öffentlichkeit sollte sich ein Versprechen immer so anhören, als ob diese im Zweifelsfalle den Sinn der Worte ganz falsch verstanden hätte. Was dich betrifft, so ist das Versprechen leider unzweideutig zu interpretieren. – Wenn das die Boulevardpresse erfährt, könnte es Ärger geben. Warum konntest du auch nicht die Kugel einfach liegen lassen und dir in irgendeinem Geschäft eine neue beschaffen! Das wäre ja wirklich mit keinerlei Risiken verbunden gewesen; wo doch Diplomaten nebst ihren Familienangehörigen nach der neuen Konvention weder bei Warenhausdiebstählen noch nach einem Verkehrsunfall gerichtlich verfolgt oder bestraft werden dürfen. Ich rate dir also, den Frosch hereinzulassen. Irgendein Plätzchen wird sich schon für ihn finden.«

Mag zauderte noch ein wenig, bevor sie endlich die Tür öffnete. Da hüpfte der Frosch herein, folgte ihr immer auf dem Fuße nach und verlangte, zu ihr emporgehoben zu werden. Er wollte einen Kaffee-Pflümli haben, ließ sich sein widerliches Maul mit Kuchen stopfen und sagte endlich, nachdem er sich sattgegessen hatte: »Nun mach dein seidenes Bettchen bereit, da wollen wir uns zusammen schlafen legen!« Die Diplomatentochter ekelte sich vor dem kalten Frosch, den sie zaghaft an den langen Hinterbeinchen faßte und ins Bett schmiß.

»Autsch!« rief der Frosch. »Du tust mir ja weh! Wenn du nicht anständig mit mir umgehst, sag' ich's dem Hans A. Traber vom Fernsehen!«

»Das beste wäre, man würde Froschschenkel aus dir machen«, bemerkte Mag giftig, indem sie angewidert zu ihm ins Bett stieg.

»Das ist nicht erlaubt. Wir stehen gottlob unter Naturschutz!« erwiderte der Frosch hämisch grinsend und flüsterte ihr gleich darauf zärtlich ins Ohr: »Komm, sei ein bißchen lieb zu mir! Sei doch kein Frosch!«

Da wurde die Diplomatentochter erst recht böse, nahm ihn herauf und warf ihn aus Leibeskräften gegen die Wand: »Nun wirst du Ruhe geben, du häßlicher Frosch!« Als er aber herabfiel, war er kein Frosch mehr, sondern ein junger Student mit langem Haar und schönen, freundlichen Augen. Der erzählte der Diplomatentochter, die aus dem Staunen nicht herauskam, daß ihn ein abartig veranlagter Molekularbiologe, der sich erfolglos um die Gunst seiner Mutter bemüht hatte, aus Rache durch absichtlich falsch programmierte Gen-Steuerung mittels

»Ich weiß überhaupt nicht mehr, was ich bin! Frosch, Kröte oder verzauberter Prinz?« Cartoon aus: Playgirl

138

vertauschter Chromosomen in einen Frosch verwandelt hätte, und niemand hätte ihn aus dieser Gestalt erlösen können als sie alleine, weil ihr Kuchen die für ihn wichtigen HGN-Wachstumshormone enthielt.

Da freuten sich die beiden über die geglückte Verwandlung, der ein bösartiges wissenschaftliches Experiment vorausgegangen war, und sie schliefen selig ein. Und wenn unterdessen keine anderen Liebschaften dazwischengekommen sind, leben sie wohl heute noch zusammen.

Peter Heisch
Der Froschkönig

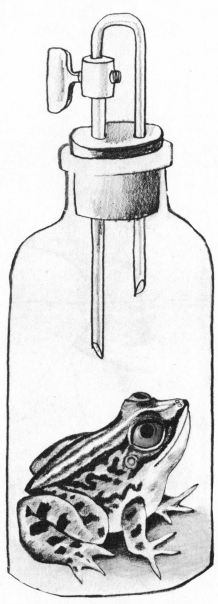

H. G. Fischer-Tschöp

Interview

Hoheit, wie war Ihre »erste Nacht«?

HOHEIT: In meiner Jugend litt ich unter starken Minderwertigkeitskomplexen. Ich hatte etwas vorstehende Augen, einen großenMund, und war im übrigen zu klein geraten. Frauen gegenüber verhielt ich mich entsprechend schüchtern. Daß ich je Karriere machen würde, erschien mir absurd. Nur im Kreise meiner Sportkameraden stieß ich auf Anerkennung. Als Taucher war ich olympiareif, im Weitsprung machte es mir keiner nach. Aber leider war ich kein Typ, auf den die Frauen fliegen; apropos Fliegen!... vielleicht erinnern Sie mich noch einmal daran, Herr Novotny ...

Wie lernten Sie Ihre Partnerin kennen?

HOHEIT: Im Park. Ich sah sie an einem Brunnen. Das schönste Geschöpf der Welt. Amor hatte seine Hand im Spiel! Ihr war etwas entfallen, ich fand es und brachte ihr die Goldschmiedearbeit, die ihr ans Herz gewachsen schien, zurück. Dabei mußte ich ins Wasser steigen. »Jetzt haben Sie sich ganz naß gemacht«, sagte sie, »kann ich mich revanchieren?« Tollkühn bat ich sie, mich zu sich einzuladen! Wahrscheinlich tat ich ihr leid, als ich so triefend vor ihr stand. Sie sagte zu.

Ihre erste Nacht fand bei ihr statt?

HOHEIT: Ja. Bei einem Imbiß verharrte sie in eiskalter Höflichkeit. Als sie mich nach dem Essen abwimmeln wollte, ging ich aufs Ganze. Und jetzt kommt wahrscheinlich die tollste Schlafzimmergeschichte, die Ihnen jemals zu Ohren gekommen ist. Ich drängte Friederike in ihr elegantes Boudoir – weiß Gott, woher ich die Kühn-

»Und dann habe ich ihr den ganzen Kokolores von wegen Prinz und so weiter vorgezwitschert und vorgehüpft, und – zack – war ich im Bett mit ihr!« Cartoon von Gelberg

heit nahm – und versuchte, sie zu umarmen und zu küssen. Erst war sie zu verdutzt, um zu reagieren, aber sie erholte sich schnell von ihrem Schreck. Sie packte mich – ich habe schon darauf hingewiesen, sie war ein gutes Stück größer als ich – und schleuderte mich von sich. Herr Novotny, war das Mädchen stark! Ich krachte gegen die Wand und sank benommen auf die Ottomane. Alle Knochen taten mir weh. Aber da soll jemand aus den Frauen schlau werden! Nun geschah ein Wunder. Friederike stürzte sich auf mich und riß mich in ihr Bett: Diese Nacht war rundum die aufregendste und strapaziösesten meines Lebens: erst an die Wand geklatscht … dann ins Bett … In unserem Liebestaumel überschütteten wir uns mit glühenden Zärtlichkeiten. Da, sehen Sie das Närbchen in meinem Ohr?

Nicht so recht …

HOHEIT: Doch. Da biß sie hinein. Kein Wunder, daß ich mich wie neugeboren fühlte. Ich war ein anderer – größer, schöner! Sogar mein Butler Heinrich – er hat Sie vorhin hereingeführt – erkannte mich kaum wieder. Ich muß ja wie ausgewechselt gewesen sein! Der Alptraum meiner freudlosen Jugend war gewichen. Friederike und ich blieben zusammen bis auf den heutigen Tag.

Erlauben Sie, daß wir unseren Lesern Ihr Inkognito lüften?

HOHEIT: Ich weiß nicht recht, war das im Honorar vorgesehen?

Auf eine Mark fünfzig hin oder her soll es uns nicht ankommen, Hoheit.

HOHEIT: Na gut, lüften Sie.

Wir danken Ihnen für dieses ungeschminkte Interview: Herr Froschkönig!

»Komisch! Sonst pflege ich mich dabei in einen schnuckeligen Prinzen zu verwandeln.«
Cartoon aus: Wolfgang Mieder, Modern Anglo-American Variants of the Frog Prince, a. a. O.

»Warum greifst du gerade mich unter all den anderen heraus?« Cartoon aus: Penthouse, Juli 1982

Johann Friedrich Konrad

Aus der Froschperspektive

In den alten Zeiten, wo das Wünschen noch geholfen hat, hatte ich einen sehnlichen Wunsch, einen Wunsch, der mich schier verrückt machte, einen Wunsch, auf dessen Erfüllung ich versessen war. Ihr müßt das verstehen: Ich wohnte damals am Rande des großen Königsparkes in einem tiefen Brunnen. Der König hatte hübsche Töchter – das war bekannt, aber die jüngste war die allerschönste, und niemand – auch die Sonne nicht – wußte das so gut wie ich. An heißen Tagen kam sie zum Brunnen, um im Schatten der großen Linde zu spielen, und ihre Füße im kalten Brunnenwasser zu kühlen. Mir schlug dann das Herz bis zum Kopf. Und wenn sie gar am Wasser ihren Rock bis über die Knie umschlug, dann mußte ich erst mal kurz untertauchen, um das alles zu verkraften. Natürlich steckte ich meinen Kopf gleich wieder aus dem Wasser, um nichts von ihrer Schönheit zu verpassen.

Wie gern hätte ich sie berührt – aber ich traute mich nicht: Vielleicht wäre sie dann nie wiedergekommen, oder der König hätte mich entfernen lassen. Ob sie mich wohl sah? Sie sah mich, und sah mich doch nicht. Sie sah mich, aber nahm mich nicht wahr. Sie sah durch mich und das Seerosenblatt, auf dem ich saß, hindurch in die Tiefe des Brunnens. Einmal sprang ich vom Blatt ins Wasser – platsch –, und tauchte gleich wieder auf, um zu sehen, ob sie mich sah. Sie war erschrocken. »Schäm dich, Wasserplatscher«, sagte sie, und dann ging sie vom Brunnen weg. Ich war zwischen Freude und Enttäuschung hin und her gerissen. Sie hatte zu mir gesprochen, aber sie war weggegangen. Die Freude setzte sich durch. ›Das war der Anfang‹, sagte ich mir. Am Anfang war das Wort, am Ende folgt die Tat! Hat sie erst mit mir gesprochen, so wird sie am Ende mit mir schlafen. Ich war gewiß, denn ich lebte ja in den alten Zeiten, wo das Wünschen noch geholfen hat.

Am nächsten Tag kam sie wieder. Sie spielte, wie so oft, mit ihrer goldenen Kugel. Sie warf sie hoch, fing sie auf, warf sie hoch, fing sie auf, lief hierhin und dahin, warf sie wieder hoch, fing sie wieder auf – ein kindisches Spiel, fand ich, aber sie hatte ihre Lust und Freude daran. Ja, zwischendurch streichelte sie die Kugel zärtlich und gab ihr gar Küßchen. »Eine goldene Kugel müßte man sein«, dachte ich, und ließ das Mädchen nicht aus den Augen. Und da, plötzlich, da war's passiert: die Kugel flog hoch, das Kind griff daneben, die Kugel kollerte geradewegs auf das Brunnenloch zu und weg war sie.

Das war meine Chance! Ich tauchte gleich nach, um die Lage zu peilen. Die Kugel lag goldrichtig! Als ich wieder auftauchte, weinte das Mädchen, daß sich einem das Herz im Leibe umdrehen konnte. »Was hast du vor, Königstochter«, sprach ich sie an, »du schreist ja, daß sich ein Stein erbarmen möchte!« »Ach du bist's, alter Wasserplatscher«, sagte sie, »ich weine über meine goldene Kugel, die mir in den Brunnen hinabgefallen ist.« »Sei still und weine nicht«, tröstete ich sie, »ich kann wohl Rat schaffen, – aber was gibst du mir, wenn ich dein Spielwerk wieder heraufhole?« »Was du haben willst, lieber Frosch«, sagte sie, »meine Kleider, meine Perlen, meine Edelsteine, und noch die goldene Krone, die ich trage.« Ihr könnt verstehen, daß ich fast betäubt war vor Glück. Ich ahnte, ich war kurz vor meinem Ziel. »Lieber Frosch«, hatte sie gesagt, und sie war in einer Situation, in der sie mir alles versprechen würde. Jetzt oder nie würde sie meinen Wunsch erfüllen. Ich durfte nur nichts falsch machen. Ich mußte jetzt am Ball bleiben, am goldenen Ball. Darum überlegte ich mir jedes Wort ganz genau: »Deine Kleider, deine Perlen und Edelsteine und deine goldene Krone, die mag ich nicht: aber wenn du mich liebhaben willst und ich soll dein Freund sein und dein Spielkamerad, an deinem Tischlein neben dir sitzen, von deinem goldenen Tellerlein essen, aus deinem Becherlein trinken, in deinem Bettlein schlafen: wenn du mir das versprichst, so will ich hinuntersteigen und dir die goldene Kugel wieder heraufholen.« – »Ach ja«, sagte sie, »ich verspreche dir alles, was du willst, wenn du mir nur die Kugel wiederbringst.«

»Alles, was du willst«, hämmerte es in meinem Kopf, als ich mit mächtigen Stößen in die Tiefe drang. – Alles, was du willst! – »Ja, ich will alles, die jüngste Königstochter mit Haut und Haar!« Da schimmerte die goldene Kugel auf dem Grund: »Komm her, du goldenes Weltenei, du bist nicht grundlos auf den Grund gekommen!« Ich schnappte es, strampelte nach oben und ließ es dem Mädchen vor die Füße rollen.

»Jetzt wird sie nach mir greifen«, dachte ich, »danke sagen, Küßchen geben ...« Pustekuchen! Sie hob die Kugel auf und eilte davon. »Warte, warte!« rief ich und hüpfte ihr nach – aber was half's? – sie hörte mich nicht mehr. »Dich krieg ich schon noch«, schwur ich ihr und mir; »dein Versprechen hab' ich und dein Vater ist ein gerechter Mann!«

Um die Mittagszeit am nächsten Tage arbeitete ich mich die Schloßtreppe hinauf und klopfte an die Tür. »Königs-

Der Nebenbuhler oder die Komik des unerwarteten Besuchs. Dem Ausruf des Prinzgemahls (oben) entspricht ihr Entsetzen (unten)

»Um Himmels willen, mein Mann!«
Cartoon aus: Playboy, November 1977

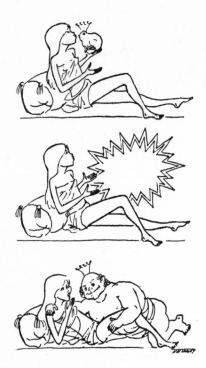

»Und es hat Zoom gemacht...« Bildgeschichte aus: Die Weltwoche, Nr. 33 vom 15. 8. 1985

tochter, jüngste, mach mir auf!« rief ich. Sie öffnete auch sofort, doch als sie mich sah, schlug sie die Tür schnell wieder zu. Drinnen hörte ich aufgeregtes Reden; dann ihre Stimme allein, weinerlich und stockend. – Mir war klar, jetzt erzählt sie unsere Geschichte, was sie mir versprochen und wie ich ihr geholfen habe. Das war der günstigste Augenblick, mich wieder zu melden. Ich pochte wieder an die Tür und versuchte mich poetisch:

»Königstochter, jüngste,
mach mir auf,
weißt du nicht, was gestern
du zu mir gesagt
bei dem kühlen Brunnenwasser?
Königstochter, jüngste,
mach mir auf!«

Da hörte ich ganz deutlich den väterlichen Baß des Alten: »Was du versprochen hast, das mußt du auch halten; geh nur und mach ihm auf.« Da öffnete sich die Tür. Ich nichts wie rein und ihr immer nach bis zu ihrem Stuhl. Sie setzte sich. Ich hockte zu ihren Füßen. Ihr Kleidersaum streifte meine Haut.
»Du darfst jetzt keine Nerven zeigen«, sagte ich mir, »du mußt eiskalt bleiben, kalt wie ein Frosch«, und meine Natur kam mir dabei zu Hilfe.
»Heb mich herauf zu dir«, bat ich die Königstochter höflich. Sie zögerte.
»Los!« befal der Vater. Die Solidarität der Männer ist ein Segen! Sie hob mich hoch auf ihren Schoß. In ihrer Hand ... auf ihrem Schenkel! Jetzt keine Sentimentalität! Aller Augen starrten auf mich: Königsvateraugen, Königsmutteraugen, Königstöchteraugen, Gästeaugen, Dieneraugen, Kochaugen – als hätten sie noch nie in ihrem Leben einen Frosch gesehen. Das konnte ich nur ertragen, wenn ich mich ganz auf's Essen konzentrierte. So wandte ich mich an die Königstochter, jüngste: »Nun schieb mir dein goldenes Tellerlein näher, damit wir zusammen essen.« Sie tat es, und ich hielt mich ran und langte zu. Die Fettaugen der Brühe waren mir lieber als die Glotzaugen ringsum. Ich glaube, solange ich aß, war ich der einzige, der aß, und ich aß mir immer mehr Mut an.
»Bist du erst mal an ihrem Tisch«, dachte ich, »so bist du auch bald in ihrem Bett! Warum lange zögern?!«
Ohne mit der Wimper zu zucken sagte ich zu dem schönen Kind: »Ich habe mich sattgegessen und bin müde; nun trag mich in dein Kämmerlein und mach dein seiden Bettlein zurecht, da wollen wir uns schlafen legen.« Da

brach sie in Tränen aus, so daß ihre schönen Locken sich schüttelten. Einige Frauenstimmen quietschten »iii«, und ich hörte Wörter wie ›garstig‹, ›gräßlich‹ und ›abscheulich‹. Sollte ich kurz vor der Erfüllung meines heißesten Wunsches alles verspielen?

Ich richtete meine Augen wie ein Märtyrer tieftraurig auf den König – und hatte Erfolg. Zornig sprach der zu seiner Tochter: »Wer dir geholfen hat, als du in der Not warst, den sollst du hernach nicht verachten.« »Recht hat er«, gluckste es in mir; aber dann geschah etwas höchst Peinliches: mit zwei Fingern packte mich die Königstochter und trug mich aus dem Speisesaal hinaus und wieder dieses gräßliche »iii« der quietschenden Frauen. Ich muß euch sagen, diese Demütigung hat mich hart getroffen. Aber sei's drum – jetzt war ich in ihrem Schlafzimmer, wenn ich auch zunächst recht unsanft in einer Ecke landete. Im Handumdrehn war sie im Bett, die Decke bis über den Kopf gezogen. »So haben wir nicht gewettet, Kleine«, knirschte es in mir; ich kroch zu ihrem Bett, pumpte und blähte mich auf, so gut es ein Frosch eben kann, und sprach zu ihr: »Ich bin müde, ich will schlafen so gut wie du: heb' mich herauf, – oder ich sag's deinem Vater.«

Das hätt' ich wohl besser nicht gesagt, denn sie stieß die Decke weg, hochrot war ihr Gesicht, Angst, Ekel, Wut schrien ihre Augen, sie packte mich, daß mir Hören und Sehen verging; ich war nur noch Gefühl, zerdrücktes Gefühl, dann knallte ich gegen die Wand, ein reißender Schmerz – ob ich explodierte oder implodierte – ich weiß es nicht.

Als ich von der Wand herabkleckerte, schwor ich bei mir selbst: »Sei kein Frosch, laß sie in Ruh. Wenn dein Glück ihr Unglück ist, wie kannst du dabei glücklich sein?«

Da wurde mir warm, ganz menschlich warm, und ich konnte wieder sehen und hören. Und ich sah sie ganz nah bei mir. Sie lächelte mich an. »Du bist schön«, sagte sie, »komm unter meine Decke.« Natürlich kam ich – und ob ich kam! Sie schmiegte sich an mich und wir schliefen ein. Viel schöner war's, als ich mir's zuvor bei dem kühlen Brunnenwasser vorstellen konnte. Nun ja, ich lebte eben in den alten Zeiten, wo das Wünschen noch geholfen hatte.

Schlagabtausch, Bilderfolge von Uli Stein

Uta Claus

Froschkönig –
von einer Emanze erzählt

Also, ich sag Euch, die Frau kann man völlig vergessen. Die hatte offensichtlich so voll alles drauf, wo die Typen unheimlich drauf abfahren. Scharfen Body, reichen Alten und ansonsten eben so total liebe Tussy. Kennt man ja, die Sorte. Völlig verdorben von ihrer Sozialisation mit sonem irre antiquierten Frauenbild. Frei nach dem Motto: schön aber doof und Klappe halten!

Logo, daß die auch keinen Job hatte oder ne Ausbildung machte oder so. Mit dieser Kiste versuchen diese Typen die Frauen ja auch ganz konkret matschig in der Birne zu halten, damit sie dann hinterher sagen können: da sieht man ja mal wieder, daß die Weiber nicht so viel bringen wie die Männer. Und in so Nobel-Schichten ist das ja auch irre stark ausgeprägt irgendwie. In der Unterschicht – Arbeiter und so – da klappt das ja zum Glück nicht so einfach, da müssen eben die Frauen ackern wie die Neger, damit die Familie läuft. Naja und da kriegen sie natürlich auch sowas wie'n Selbstwertgefühl irgendwie. Klar, daß das auch irre wenig ist, aber bei diesen Highsociety-Leuten, da ist eben absolut Null in der Beziehung. Der Herr des Hauses schafft das Moos mit links ran, und die Frau ist zur Dekoration der Villa da. Mit sonem total kaputten Selbstverständnis kann aus soner Frau ja auch nix werden!

Na, diese Frau spielt jedenfalls im Park von der Villa mit sonem Ball rum. Find ich ja auch schon wieder unheimlich typisch, ne. Das zeigt doch jetzt wieder ganz konkret, daß die Null im Kopf hat. Ne normale Frau geht in ihrer Freizeit doch auf ne Demo, malt Plakate oder liest ein vernünftiges Frauenbuch, wenn se nicht gerade Gruppe hat. Und was macht die da in dem Park? Spielt mit nem Ball rum, da schnallt man doch ab! Aber das paßt natürlich wieder voll in diese ganze Sozialisationskiste rein, irgendwie, find ich.

Also, jedenfalls, der Ball fällt der Frau dann wohl in deren Swimmingpool rein, und die geht total auf'm Zahnfleisch, weil se wohl nicht selber in der Lage is, den wieder rauszuangeln. Statt also die Röcke zu raffen und mal kurz in die Fluten zu hüpfen, hockt die sich an den Rand und flennt erstmals, daß die Bäume wackeln. Sag ich ja, daß die voll die ganzen beknackten Verhaltensweisen von ihrer sozialen Herkunftsschicht geschluckt hat: kommt ein Problem, wird erstmal geflennt statt ne Action zu starten. Ist ja auch echt toll für diese Chauvis, weil die dann natür-

lich irre gut dastehen und den dicken Macker markieren können. Darum läuft die Kiste ja auch immer so. Weiß man ja. Naja, das fluppt natürlich auch bei der irre prompt. Sofort erscheint nämlich son wahnsinnig schleimiger Typ am Beckenrand und macht auf »Retter in der Not«. Aber da ist die wohl an den absoluten Oberchauvi geraten, die Frau. Der will nämlich auch noch ne Gegenleistung irgendwie. Aber, wenn man mal überlegt, eigentlich ist das ja immer so mit den Typen. Erst schwänzeln se um einen rum und dann machen se einen unheimlich fertig. Is doch so! Jedenfalls, die Frau reagiert mal wieder echt symptomatisch und bietet diesem schleimigen Typ alles an, was se so an Konsum-Kiki hat: Schmuck, Fummel und son Plunder. Die blickt eben auch absolut Null durch. Was der Typ will, ist doch logo. Der ist irre scharf auf die Frau und auf die Knete vom Alten, ist doch immer so. Naja, jedenfalls läßt sich die Frau wohl irgendwie bequatschen und lädt den Typ zum Essen ein. Und damit ist die Kiste dann gelaufen. Der Alte von der ist nämlich echt son total autoritärer Bock. Der hat das ganze Meeting wohl inszeniert, um der Frau ne Partie zu verschaffen, die ihm reinläuft oder so. Und wie die Kerle so sind, machen se natürlich gemeinsame Sache. Der Alte sorgt dafür, daß der Typ seine Tochter irgendwo legen kann. Und die macht natürlich mit, weil se meint, das müßte so sein irgendwie. Der totale Klops ist dann aber der, daß se den Typ auf einmal echt unheimlich scharf findet, obwohl se den vorher am liebsten an die Wand geklatscht hätte. Aber, ich sag ja, die Frau kann man total vergessen. Bei der würde wahrscheinlich auch unserer Frauengruppe null Fisch ziehen.

Der große Bäng und seine Folgen. Cartoon von Tom Shephard und Bob Cohn

Armin Steinecke   # Froschkönig 1978

Auf dem kalten Beton
dieses Brunnens hockend
ersehne
häßlicher Frosch ich
die mir versprochene
warmherzige Prinzessin
die mich
mit ihrem Auto überfährt
auf daß ich
ein Hausmann werde
der für sie
im Supermarkt einkaufen
ihr Apartment putzen
ihren Abwasch machen
ihr Bettchen wärmen
und mit ihr schmusen
darf
bis daß der Streß uns scheidet.

Und so hast du mich erlöst

Karin Struck

Prolog zu »Glut und Asche«

In einem süddeutschen Barockschloß lebte zur Zeit der KSZE-Konferenz in Helsinki ein von den Zeitläuften noch verschonter König, dessen älteste Tochter war so schön, daß selbst der Punker-Jüngling aus dem Nachbardorf errötete, wenn er sie nur von weitem sah. Nahe bei dem Schloß lag ein großer, dunkler, gesunder Wald, darin unter einer Linde ein Brunnen war. In der heftigen Hitze des Jahrhundertsommers dieses Jahres ging die Königstochter hinaus in den Wald, um sich am Rand des Brunnens abzukühlen, und als es ihr langweilig wurde, nahm sie ihre goldene Kugel, die sie immer bei sich trug, aus Furcht, sie könnte ihr zu Hause von einer untreuen Dienerin gestohlen werden, warf sie in die Höhe und fing sie wieder; das war ihr liebstes Spiel.

Nun geschah es – da sie von der Hitze erschöpft war –, daß die goldene Kugel nicht zurück in ihre Hand fiel, sondern vorbei auf die Erde schlug und geradewegs in den Brunnen hineinrollte. Die Königstochter folgte ihr mit den Augen nach, aber die Kugel verschwand, und der Brunnen war so tief, daß man keinen Grund sah. Zuerst dachte sie: »Verdammt! Aber ich werde bestimmt niemand brauchen, der mir die Kugel aus dem Brunnen holt. Wie mach' ich es aber nur?« Dabei mußte sie unwillkürlich an ihren Vater denken, der in einer Gesellschaft mit Männern – wenn er ihnen seine wohlduftenden Zigarren anbot – gern zu sagen pflegte: »Wenn wir Männer nicht wären – wer würde den Frauen die Kohlen aus dem Feuer und das Kind aus dem Brunnen holen, heh?« Die Königstochter ärgerte sich bei solchen Aussprüchen ihres Vaters jedesmal über alle Maßen, weil der so tat, als sei das männliche Geschlecht etwas ganz Besonderes und als könnten Frauen ohne dasselbe nicht leben. »Na, er weiß es eben nicht besser, er ist doch schon ziemlich vergreist«, mochte sie wohl denken, dann aber erinnerte sie sich an eine ihrer Hofdamen, die noch recht naseweis war und einmal den sonderbaren Spruch von sich gegeben hatte: »Eine Frau ohne Mann ist wie ein Fisch ohne Fahrrad.«

Damals hatte sie wohl darüber gelacht, aber jetzt war ihr eher zum Weinen zumute, und tatsächlich fing sie heftig zu weinen an und jammerte bald immer lauter und konnte sich nicht trösten.

Wie sie so klagte und schluchzte, rief ihr jemand zu:

»Tierliebe gleich null«
Cartoon von Barták 1975

Karin Struck
Und so hast du mich erlöst
Prolog zu »Glut und Asche«

»Was hast du, Königstochter? Du schreist ja zum Steinerweichen.« Sie sah sich um, woher die Stimme komme, da erblickte sie einen Frosch, der seinen dicken, häßlichen Kopf, beleuchtet von einem durch die Krone eines Baumes blitzenden Sonnenstrahl, aus dem Wasser streckte. »Ach, du bist's, alter Wasserpatscher«, sagte die Königstochter, »ich weine über meine goldene Kugel, die mir in den Brunnen gefallen ist.« Dabei dachte sie aber gleich: »Was tut der scheußliche Frosch so lieb und freundlich, wer weiß, was er von mir will.« Und auch wohl: »Raffiniert sind doch diese Burschen! Sie sind immer zur Stelle, wenn einem ein Malheur passiert ist. Dann wittern sie Morgenluft, dann packt sie das Jagdfieber.« Ihre Mutter und diverse Hofdamen hatten ihr so viele Geschichten von bösen Fröschen erzählt, daß sie gerade jetzt sich völlig im unklaren war, was sie von Fröschen denken sollte. Wie oft hatte sie gehört, daß Frösche zwar in linden Nächten schöne Frauen mit lustigen Konzerten erfreuen, aber nur, um - feucht und glitschig, wie sie nun einmal sind - auf dem kürzesten Weg eben jenen schönen Frauen in den Ausschnitt zu schlüpfen oder den ganzen Leib hinunter, zwischen die Schenkel.

Der Frosch als Moloch »Inflation«, die Szene während der »Wahlnacht«: »... und am nächsten Morgen war er immer noch ein Frosch«. Cartoon aus: Wolfgang Mieder, Modern Anglo-American Variants of the Frog Prince, a. a. O.

Der Gedanke an ihre goldene Kugel ließ die Königstochter jedoch alle Vorsicht vergessen, und sie fühlte, wie sie nachgiebig wurde, als der Frosch sagte: »Sei still und weine nicht so sehr, ich kann wohl Rat schaffen.« Er fügte jedoch gleich hinzu: »Was gibst du mir, wenn ich dir dein Spielwerk wieder heraufhole?« »Aha«, dachte die Königstochter, »habe ich mir doch gedacht, daß ein Haken dabei ist. Meine Mutter und die Hofdamen haben wieder einmal recht gehabt.« Da wurde sie trotzig und dachte bei sich: »Er wird schon sehen, so schnell kriegt er mich nicht, ich werde ihn ein wenig zappeln lassen. Ein kleines Wechselbad wird ihm guttun, ich will nur meine Kugel wiederhaben. Er soll in die Tiefe, schließlich kennt er sich dort aus.«

Laut sagte sie recht freundlich: »Lieber Frosch, ich gebe dir, was du haben willst: meine Kleider, meine Perlen, meine Edelsteine, die goldene Krone, die ich bei besonderen Gelegenheiten trage.« Sie merkte selbst, daß sie ziemlich übertrieb, aber was verspricht man nicht alles, wenn man etwas will? Sie glaubte auch, der Frosch werde das alles nicht so ernst nehmen, vielleicht gar nicht richtig hinhören. Wie oft hatten die Hofdamen gesagt, daß Frösche nur viel quakten, »ein Frosch, ein Wort«, davon könne durchaus nicht die Rede sein, und von den goldenen Kugeln der Frauen verstünden Frösche bestimmt ganz und gar nichts.

Sie mußte feststellen, daß dieser Frosch sehr beharrlich sein Ziel zu verfolgen schien, und es wurde ihr ein wenig angst bei seinem Drängen. Der Frosch hüpfte ganz nah an sie heran und sagte: »Deine Kleider, deine Perlen, deine Edelsteine, deine goldene Krone: das alles interessiert mich nicht. Aber wenn du mich lieben willst und ich soll dein Gefährte sein, mit dir Tisch und Bett teilen, von deinem goldenen Teller essen, aus deinem Becher trinken – wenn du mir das versprichst, dann will ich sofort hinuntersteigen und dir deinen goldenen Schatz heraufholen.«

Die Königstochter war nun ganz schön in der Klemme; sie brauchte den Frosch und wollte ihn doch nicht haben. Das war ungefähr so, wie die Engländer sagen: »To have the cake and eat it.« Aber so waren nun einmal Königstöchter, und auch unsere Königstochter machte da keine Ausnahme. »Was er alles will, dieser aufdringliche Bursche«, dachte sie, »dabei ist er doch ein ganz gewöhnlicher Frosch, mit noch dazu völlig überflüssigen Körperteilen.« Das dachte sie tatsächlich, und wir müssen es berichten, obwohl die Naturschützer uns sicher deswegen zürnen werden, denn sie bemühen sich gerade, die

Wie ich den Tag hasse, an dem ich begann, Frösche zu küssen!« Cartoon von Wessum, aus: Katalin Horn, Märchenmotive und gezeichneter Witz, a. a. O.

Karin Struck

Und so hast du mich erlöst

Prolog zu »Glut und Asche«

Menschheit darüber aufzuklären, daß auch Frösche eine wichtige Aufgabe im Haushalt der Natur haben. Die Königstochter aber gehörte wohl eher zu denen, die die Nase rümpfen, wenn sie auf den Straßen beim Vorbeiflitzen ein Schild sehen, das mahnt, Frösche, die zu ihren Laichzügen die Straße überqueren, nicht totzufahren.

Nun ja, unsere Königstochter hatte wahrscheinlich zu wenig ferngesehen und interessierte sich leider zu wenig für Politik. Nur die Hofdamen erklärten ihr die Politik, und diese Erklärungen waren recht einseitig und eintönig konservativ. So verbarg sie ihre Gedanken und sagte laut zu dem Frosch: »Ich verspreche dir alles, was du willst, wenn du mir nur meine goldene Kugel wiederbringst«, dachte dabei aber an das Pokerspiel, dem sich ihr Vater an seinen Männerabenden gelegentlich hingab. Sie hatte viele Stunden lang sein Gesicht und die Gesichter seiner Partner dabei beobachtet und wußte daher, daß Männer die Gesichter, die sie beim Pokern einüben, auch Frauen gegenüber oft aufsetzen. Und die merkten das nicht einmal. »Nein, so dumm bin ich nicht, der kann mich mal gern haben, dieser anmaßende und arrogante Frosch. Der sitzt im Wasser bei seinesgleichen und quakt, schießt hin und her und kann keiner Frau Gefährte sein«, dachte sie.

Der Frosch hatte selbstverständlich das Doppelspiel der

»Siehst du, Andrew? Ich habe dich so vor dem Umgang mit einem Flittchen gewarnt!«
Cartoon in: The Muskegon Chronicle vom 21. 10. 1982

Königstochter längst bemerkt. Er hatte Erfahrung darin, in ihrer Miene zu lesen, denn schon oft hatte er sie beim Spiel mit ihrer goldenen Kugel beobachtet und beim Schwätzen mit den Hofdamen belauscht. Trotzdem tauchte er seinen Kopf unter, als er ihre ausdrückliche Zusage erhalten hatte, sank hinab und kam nach einer Weile wieder hinaufgerudert, hatte die Kugel im Maul und warf sie ins Gras. Feuchtigkeit troff noch von seinen Lippen, und er schien sehr erschöpft, denn die Kugel zu halten war verdammt schwer. Wenn er nun aber auf die Dankbarkeit der Königstochter hoffte, so irrte er sich. Die hob ihr schönes Spielzeug auf und sprang damit fort.

»Warte, warte doch!« rief der Frosch ihr nach. »Nimm mich mit, ich kann jetzt nicht so laufen wie du!« Aber was half ihm, daß er ihr sein »Quak, quak« so laut nachschrie, wie er nur konnte. Ihr war alles zu schnell gegangen, und sie fühlte sich dem Frosch zu gar nichts verpflichtet. Sie wollte nur eines: Sich ihn vom Leibe halten. So amüsierte sie sich sogar noch über ihn und dachte bei sich: »Es muß ihn ganz schön angestrengt haben, der Arme ist ja ganz schlapp.« Und schon dachte sie überhaupt nicht mehr an ihn.

Wenige Tage später, als sie sich mit ihrem Vater und den klugen Hofdamen zur Tafel gesetzt hatte und von ihrem goldenen Teller aß, da kam jedoch plitsch, platsch, plitsch etwas die Marmortreppe hinaufgekrochen. Und jemand rief: »Königstochter, Liebste, mach mir auf!« Die Königstochter erkannte die Stimme und wollte nicht hingehen. »Wovor fürchtest du dich, mein Kind?« rief der König. »Steht etwa ein Riese vor der Tür?« Die Königstochter mußte plötzlich lachen. »Ja«, rief sie, »so mag er sich vielleicht vorkommen, aber für mich ist er nur ein Frosch.« Dann mußte sie auf die eindringlichen Fragen des Vaters erzählen, wie der Frosch ihr geholfen hatte. »Ich versprach ihm eine Belohnung«, sagte sie, »ich sagte ihm, daß ich seine Gefährtin werden wolle, dachte aber nie daran, daß er mir tatsächlich nachkommen könnte.« Indem klopfte es zum zweiten Mal. »Königstochter, Liebste, laß mich rein. Weißt du nicht, was du zu mir gesagt hast am kühlen Brunnen? Königstochter, Liebste, laß mich rein.« Die Königstochter, als sie diese poetischen Rufe hörte, fing an, unbändig zu lachen. Sie begann sogar einen Schlager zu singen mit einem seltsamen Text, etwa so: »Laß mich rein, laß mich raus«, aber der König fand nicht, daß es ein Spaß war, den Frosch draußen warten zu lassen und sich noch dazu über ihn lustig zu machen. Nicht verwunderlich, denn schließlich war er selbst

Karin Struck
Und so hast du mich erlöst
Prolog zu »Glut und Asche«

Karin Struck
Und so hast du mich erlöst
Prolog zu »Glut und Asche«

männlichen Geschlechts. Möglich aber auch, daß er seine Tochter liebte und sogar klug und weise war. Er wies sie jedenfalls streng zurecht und sagte: »Was du versprochen hast, mußt du halten, auch wenn dir jetzt plötzlich die Nase des Frosches nicht paßt. Immerhin hast du dich einmal mit ihm eingelassen.«

Die Königstochter bekam einen regelrechten Lachanfall. »So wie die Nase des Mannes, so auch sein Johannes«, rief sie und kicherte. Das war dem König zuviel. »Geh jetzt und mach ihm auf«, schrie er fast. Sie wollte sich immer noch widersetzen. »Ich spiele lieber mit meinen Freundinnen«, sagte sie patzig. »Mach mit dem Frosch, was du willst, von mir aus laß eine Froschschenkelsuppe daraus kochen.« Der König hatte sich wieder gefaßt und achtete nicht auf ihre frechen Worte. Er befahl ihr sehr bestimmt, vor die Tür zu gehen und den Frosch hereinzulassen.

Da ging sie widerstrebend und öffnete die Tür. Der Frosch hüpfte herein, ihr immer auf dem Fuße folgend, bis zu ihrem Stuhl, da saß er und rief: »Heb mich herauf zu dir.« Sie zögerte, bis es endlich wiederum der König war, der es ihr befahl. Als der Frosch erst auf dem Stuhl angelangt war, wollte er auf den Tisch, und als er dort auf schierem Damast saß, sprach er: »Nun schieb mir schleunigst deinen goldenen Teller näher, damit wir zusammen essen können.« Sie tat es, aber mit großem Ekel. Und ihr gingen dabei die Warnungen der Mutter und der klugen Hofdamen durch den Sinn: »Gibst du einem Frosch den kleinen Finger, so will er gleich die ganze Hand!« hatten sie gesagt.

Der Frosch ließ sich das Gemüse schmecken, er machte es sich richtig gemütlich, aber der Königstochter blieb fast jeder Bissen im Halse stecken. Endlich sagt er: »Ich habe mich sattgegessen, ich bin müde, nun trag mich in deine Kammer und mach dein seidiges Bett zurecht, da wollen wir uns schlafen legen.« »Dieser widerliche Pascha«, dachte die Königstochter, »er kann doch springen, aber sogar dazu ist er zu faul, dieser Schlappschwanz.« Und sie bedachte ihn in Gedanken mit noch viel ärgeren Schimpfwörtern. Wir wollen sie hier lieber nicht erwähnen. Gleichzeitig fing sie zu weinen an, einmal, weil sie wirklich Angst hatte, zum anderen aber, weil sie dachte, Tränen würden den Frosch vielleicht beeindrucken und ihn von seinem Vorhaben abhalten. Wie eklig war ihr der Gedanke, daß der kalte, feuchte Frosch in ihrem reinen Bett schlafen und womöglich noch versuchen würde, sich an sie zu pressen.

»Schluß mit dem Gequake. Solange die Hitparade läuft, kannst du nicht auf Grzimek umschalten.«

Der König, der sah, wie seine Tochter den Frosch hin-
hielt, wurde sehr ärgerlich. Er seufzte. »Daß du es so weit
treibst und den armen Frosch erst verrückt machst!« sagte
er. »Und jetzt ekelst du dich vor ihm, du bist ja sogar
schlimmer als deine Mutter, die sich auch nie anrühren
ließ, Gott hab' sie selig.« Die Königstochter ließ sich nicht
gern mit ihrer Mutter vergleichen, sie war überzeugt, daß
sie und ihre Hofdamen anders waren, schließlich lebten
sie im Zeitalter von Computern und Raketen ...
Also packte sie wohl oder übel den Frosch mit ihrer Lin-
ken, hob ihn hinauf in ihre Kammer und setzte ihn *in eine
Ecke.* »Dorthin gehört er«, dachte sie und hoffte, er
würde in der Ecke sitzenbleiben. »Er hat so viele Jahre
Frauen die Ohren vollgequakt, hat sich wichtig gemacht,
jetzt soll er *in der Ecke* sitzen bleiben«, dachte sie. Aber
der Frosch dachte nicht daran, sich mit diesem Stand der
Dinge abzufinden.
Als die Königstochter sich zu Bett gelegt hatte, kam er
gekrochen und sprach: »Ich bin müde, ich will schlafen so
gut wie du.« Er kam wirklich gekrochen; die Königstochter wunderte sich darüber, denn zu der Zeit, in der diese
Szenen sich abspielten, war die Macht der Frösche längst
nicht mehr so groß, wie sie in alten Zeiten einmal gewesen sein soll. Der Frosch bettelte fast ein wenig unterwür-
fig: »Heb mich herauf.« Kurz darauf drohte er jedoch, er
war das Drohen eben noch von früher gewöhnt. »Ich sag's
deinem Vater, wenn du mich nicht sofort in dein Bett
nimmst«, sagte er. Das war zuviel. Die Königstochter
fluchte und schimpfte laut, wurde bitterböse, sprang aus
dem Bett und warf den Frosch mit voller Wucht gegen
die Wand. »Nun wirst du Ruhe geben, du widerlicher
Frosch«, rief sie wütend.
Man könnte annehmen, daß die Geschichte jetzt zu Ende
wäre. Irrtum! Sie fängt erst an. Die Kraft nämlich, mit der
die Königstochter den Frosch gegen die Wände geworfen hatte, weckte sie *beide* auf, und sie fand sich einen
Moment später nicht in den Armen eines Frosches, sondern in den Armen eines wunderschönen jungen Mannes
wieder, der sie anblickte, als habe er gerade seine ewig
leidende Mutter verlassen, wie es in der Bibel geschrieben steht, ein Mann solle seine Eltern verlassen und seinem Weibe anhangen.
Die ganze Nacht lagen sie beieinander, bis sie in herrliche
Träume versanken. Sie fuhren in einem mit acht weißen
Pferden bespannten Wagen, die hatten Straußenfedern
auf dem Kopf und gingen in goldenen Geschirren. Am
Morgen erwachte die Königstochter als erste. Sie schaute

Karin Struck
Und so hast du mich erlöst
Prolog zu »Glut und Asche«

»Schnell, küß mich! Da kommt eine Biologie-
klasse, die auf Exkursion ist.«
Cartoon aus: New Woman, September 1984

Karin Struck
Und so hast du mich erlöst
Prolog zu »Glut und Asche«

ihren Gefährten an, wie er noch in gelöstem Schlummer lag, und sein Gesicht war sehr schön. Sie betrachtete den Mann lange und verfiel in tiefes Nachdenken. Einmal dachte sie: »Die Hofdamen sind dumme Puten und haben keine Ahnung.« Wie erschrak sie aber, als es plötzlich ohrenbetäubend krachte, als seien ihrem Gefährten alle Knochen im Leibe gebrochen. Sofort erinnerte sie sich an die Worte der Hofdamen, die einmal allen Ernstes behauptet hatten, alle Männer hätten eiserne Bande um ihre Herzen gelegt und seien deswegen häßlich wie die Frösche. Am liebsten wäre sie auf und davon gelaufen, so kleinmütig war sie plötzlich wieder. Sie hörte das Flüstern der Hofdamen: »Du weißt doch, alle Männer sind Frösche, und sie sind überflüssig, ja, sie sind sogar schädlich, denn sie haben die Welt zerstört, und dich werden sie auch noch zerstören.«

Der Königstochter wurde es ganz heiß, und sie zweifelte an ihrem Verstand; daß sie eben noch so glücklich gewesen war und jetzt an die Unkenrufe der Hofdamen denken mußte! Sie versuchte, all diese Gedanken zu verscheuchen, die gar nicht die ihren waren. Durch einen Spalt im Vorhang floß Licht des Tages, und wieder betrachtete sie das schöne Gesicht des Mannes. »Wenn ich nicht so neugierig auf ihn wäre, würde ich vielleicht doch nur den Hofdamen glauben«, dachte sie plötzlich. Da krachte es wieder. Es mußte das zweite eiserne Band sein, das zerbrochen war, und die Königstochter fragte sich, wieviele eiserne Ringe es noch sein mochten, und sie wunderte sich, daß ihr Gefährte von dem Krachen nicht aufwachte und daß er nicht vor Schmerz schrie. Denn es mußte ihm doch auch wehtun, wenn die eisernen Bande um sein Herz zersprangen. Kaum hatte sie aufgeatmet, krachte es zum dritten Mal, und darauf endlich öffnete der junge Mann die Augen. »Ach, wie hast du mich erschreckt«, sagte die Königstochter, »wie viele Ringe hast du denn noch um dein Herz?«

»Ich weiß es selbst nicht«, sagte der Mann noch ein wenig schlaftrunken – und lächelte. Und er fügte hinzu: »Deswegen bin ich ja verhext worden, *weil* ich es nicht weiß.« Er streckte sich wohlig im Bett und sah die Königstochter nachdenklich an. »Weißt du«, sagte er, »wenn deine Genossinnen uns Frösche nicht immer verhätscheln, erniedrigen oder hochjubeln würden, wäre alles leichter. Sie wissen doch nichts von uns – und weil wir ihnen fremd sind, nehmen sie sich heraus, tausend Märchen über uns zu erzählen!« Die Königstochter fühlte sich gleich wieder angegriffen. »Willst du dich denn immer mit irgend etwas herausreden?« sagte sie. »Ich habe geglaubt, daß du dich verändert hast.«

»Oh nein«, sagte ihr Gefährte der Nacht, »die Zeit der Entschuldigungen ist vorbei, ich will nur sagen, daß deine Genossinnen aufhören sollen, uns Frösche wie kleine Kinder zu behandeln. Aber du« – und mit diesen Worten nahm er sie zärtlich in seine Arme – »hast mich schließlich ernstgenommen, und so hast du mich erlöst. Ich werde mich nun selbst entdecken, und ich werde alle die Ringe um mein Herz sprengen, so weh es tut und so viele es noch immer sein mögen.« Er küßte sie innig und drückte sie. Und die Königstochter lachte, entwand sich seinen Armen, atmete auf und sprang erleichtert und glücklich aus dem Bett. Einen Augenblick vorher war sie fast in alte Gefühle der Enttäuschung zurückgefallen.

Nun zog sie, als ob sie tanzen wolle, die Vorhänge auf und fing ein altes Volkslied zu singen an. Und helles Sonnenlicht strömte ins Zimmer.

Karin Struck
Und so hast du mich erlöst
Prolog zu »Glut und Asche«

Showdown oder Im Schatten von Big Ben: Eintritt der Märchengestalten in die städtische Wirklichkeit.

Anhang

Anmerkungen zu Teil I

1 Vgl. Gobyn, Luc: Textsorten. Ein Methodenvergleich am Beispiel Märchen, Gent 1982, S. 580–581

2 Bettelheim, Bruno: Kinder brauchen Märchen, Stuttgart 1977, S. 62–63, 112; vgl. Weber W. u. I.: Auf den Spuren des göttlichen Schelms, Stuttgart 1983, S. 32

3 Vgl. Rölleke, Heinz (Hrsg.): Die älteste Märchensammlung der Brüder Grimm, Cologny-Genève 1975, S. 144–153; Ginschel, Gunhild: Der junge Jacob Grimm (= Deutsche Akademie der Wiss. zu Berlin. Veröffentlichungen der sprachwiss. Kommission 7, Berlin 1967, insbes. S. 212–278); Ellis, John M.: One Fairy Story Too Many. The Brothers Grimm and Their Tales, Chicago and London 1983, S. 113–134

4 Vgl. Gutter, Agnes: Es ist ein Band von meinem Herzen... Zur Bedeutung des Märchens ›Der Froschkönig oder der eiserne Heinrich‹ für die Psychohygiene (= Schriften zur Kinder- und Jugendliteratur), Solothurn 1976, S. 7

5 Doderer, Klaus: Klassische Kinder- und Jugendbücher, Weinheim, Berlin u. Basel 1969, S. 138 f.

6 Vgl. Bausinger, Hermann: Formen der ›Volkspoesie‹, 2. Aufl., Berlin 1980, S. 170

7 Abgedruckt bei Bolte-Polívka I, 1–2

8 Vgl. Scherf, Walter: Lexikon der Zaubermärchen, Stuttgart 1982, S. 135–136

9 Lüthi, Max: Das europäische Volksmärchen, Form und Wesen, 4. Aufl. München 1974, S. 61

10 Z. B. Kuhn, Adalbert und Schwartz, Wilhelm: Norddeutsche Sagen, Märchen und Gebräuche, Leipzig 1848, S. 9, Nr. 9

11 Bolte-Polívka I, 1

12 Neumann, Siegfried: Mecklenburgische Volksmärchen, Berlin 1971, Nr. 84, S. 154–156 ›Der Froschprinz‹. Ein Liedmärchen vom Froschkönig bringt auch die Sammlung Karasek-Langer, A.: Quellen zur Volkskunde der Deutschen in Polen, in: Deutsche Märchen in Polen 2, 1935/36, S. 163–165

13 Jahn, Ulrich: Volksmärchen aus Pommern und Rügen, Norden und Leipzig 1891, Nr. 5, S. 31–34

14 Abgedruckt bei Moser-Rath, Elfriede: Deutsche Volksmärchen (= MdW), Düsseldorf-Köln 1966, Nr. 10, S. 53–56

15 Grudde, Hertha: Plattdeutsche Volksmärchen aus Ostpreussen, Königsberg 1931, Nr. 30, S. 54–56 ›De Kreet‹

16 Vgl. Moser, Dietz-Rüdiger: Märchensingverse aus mündlicher Überlieferung, in: Jahrb. f. Vl. f. 13 (1968), S. 85–122, hier: S. 94–96

17 Vgl. Kahlo, Gerhard: Die Verse in den Sagen und Märchen, (Diss. Jena 1919). Borna u. Leipzig 1919

18 Bolte-Polívka I, 1–9

19 Ranke, Kurt: Schleswig-Holsteinische Volksmärchen, Bd. 2, Kiel 1958, S. 55–57

20 Vgl. Köhler, Reinhold: Kleinere Schriften zur Märchenforschng, Bd. 1, Weimar 1898, S. 229

21 Wossidlo, Richard und Henssen, Gottfried: Mecklenburger erzählen (= Dt. Akademie d. Wiss., Veröffentlichungen des Inst. f. Dt. Vkde. 15), Berlin 1957, Nr. 59, S. 87–88 ›Die Kröte, ein verwünschter Prinz‹ und Nr. 60, S. 89 ›Der Froschkönig‹

22 Nedo, Paul: Sorbische Volksmärchen, Bautzen 1956, Nr. 42, S. 194 ›Die goldene Kugel‹

23 Moser-Rath, Elfriede: Deutsche Volksmärchen, Neue Folge. Düsseldorf-Köln 1966, Nr. 10, S. 53–56

24 Oberfeld, Charlotte: Volksmärchen aus Hessen, Marburg 1962, Nr. 33, S. 53 ›De verwinschte Kenigssohn‹

25 Pfaff, Friedrich: Märchen aus Lobenfeld, in: Alemannia 26 (1938), S. 87–88, Nr. 12 ›Froschkönig‹

26 Künzig, Johannes und Werner, Waltraut: Ungarndeutsche Märchenerzähler II. Die ›Blinden Madel‹ aus Gant im Schildgebirge, Kommentare Dietz Rüdiger Moser, Freiburg 1971, Nr. 7 ›Die stolze Königstochter und der Frosch‹

27 HdM, II, 267–274

28 Delarue, Paul et Tenèze, Marie-Louise: Le

Conte populaire français, 2 ff. Paris 1964 ff.

29 Vgl. Bolte-Polívka I, 5–6

30 Ranke, Kurt: Der Einfluß der Grimmschen KHM auf das volkstümliche Erzählgut in: Die Welt der Einfachen Formen, Berlin 1978, S. 79–86

31 Ranke, Kurt (wie Anmerkung 19), S. 56–57

32 Neumann, Siegfried: Eine mecklenburgische Märchenfrau. Bertha Peters erzählt Märchen, Schwänke und Geschichten, Berlin 1974, Nr. 17, S. 99–102 ›Der Froschprinz und der treue Hinnerk‹

33 Wie Anmerkung 26

34 Müllenhoff, Karl: Sagen, Märchen und Lieder der Herzogtümer Schleswig, Holstein und Lauenburg, 4. Aufl. Kiel 1845, Nr. 1, S. 383

35 Jahn, Ulrich: Volksmärchen aus Pommern und Rügen, Norden und Leipzig 1891, Nr. 5, S. 31–34 ›De Koenigin un de Pogg‹

36 Leyden, J. (ed.): Complaynt of Scotland, Edinburgh 1801, S. 234

37 Nach Bolte-Polívka I, 4–5; vgl. Rölleke, Heinz (wie Anmerkung 3), S. 151–153

38 Leipziger Hs. 498, Bl. 166, 1 = Schönbach, Wiener Sitzungsberichte 142, 7, 101 (1900), zitiert nach Bolte-Polívka I, 7

39 Vgl. Müllenhoff, K./Scherer, W.: Denkmäler dt. Poesie und Prosa, 3. Aufl. Berlin 1892, S. 66; Seiler, Friedrich: Die kleineren deutschen Sprichwortsammlungen der vorreformatorischen Zeit nach ihren Quellen, in: Zfd. Ph. 48 (1920), bes. S. 87–89

40 Benfey, Theodor: Pantschatantra 1–2. Fünf Bücher indischer Fabeln, Märchen und Erzählungen, Leipzig 1859, Ndr. Hildesheim 1966, II, 289

41 Ebda. II, 144–148. Im indischen Typenkatalog (= Thompson, St. und Roberts, Warren E.: The Types of Indic Oral Tales, FFC 180, Helsinki 1960) finden sich keine Angaben zu AaTh 440

42 Vgl. Erkes, E.: Das Märchen vom Froschkönig in China, in: Sinologica 3 (1953), S. 23–27; Lantsch, A.: Betrachtungen zu der Äußerung Prof. Erkes über das Vorhandensein des Märchens vom Froschkönig im alten China, ebda. S. 28–30

43 Vgl. Eberhard, Wolfram: Typen chinesischer Volksmärchen (FFC 120), Helsinki 1937, Nr. 42; Ting, N. T.: A Type Index of Chinese Folktales in the Oral Tradition (FFC 223), Helsinki 1978

44 HdM II, 267–274

45 Vgl. Röhrich, Lutz: Sage und Märchen. Erzählforschung heute, Freiburg 1976, S. 142–195

46 Z. B. Grohmann, J. V.: Sagen aus Böhmen, Prag 1863, S. 242

47 Bolte-Polívka III, 58–69, Nr. 129 a, ›Der Löwe und der Frosch‹

48 Ungerer, Tomi: Kamasutra der Frösche, Zürich 1982

49 Vgl. Bettelheim, Bruno (wie Anmerkung 2), S. 98

50 Vgl. Kriss, Rudolf: Das Gebärmuttervotiv, Augsburg 1929

51 Lüthi, Max (Hrsg.): Europäische Volksmärchen, Zürich 1951, S. 25 ff.

52 Rollenhagen: Froschmeuseler, B. 1, 2, Kap. 12, 11 (und danach Philander von Sittewald: Gedichte, Leiden 1646, 3, 42 nach Bolte-Polívka I, 7

53 Godefroi de Bouillon, ed. Reiffenberg, v. 9921

54 Völsungasaga, Kap. 38

55 Weinschwelg, ed. Lucae 1886, v. 404

56 Des Wirtemperk Puch, ed. Keller, 1845, S. 35, v. 593

57 Gödings Gedicht von Heinrich dem Löwen, Str. 59, in: PBB 13, 301

58 Vgl. Art. ›Herz‹ in: Röhrich, Lutz: Lexikon der sprichwörtlichen Redensarten, Freiburg 1973, I, 415–417

59 MSH 1, 206 b

60 MSH 1, 93 b; nach Bolte-Polívka I, 8; zum Motivumkreis der eisern. Bande vgl. auch Holzapfel, Otto: Zur Phänomenologie des Ringbrauchtums, in: Zs. f. Vkde. 64 (1968), S. 32–51, bes. S. 46 ff.

61 Vgl. Bolte-Polívka II, 255

62 Luzel, F. M.: Chants populaires de la Bretagne, Bd. I, Paris 1868, S. 409; vgl. Bolte-Polívka I, 7

63 Grudde, Hertha (wie Anmerkung 15)

64 Busch, Wilhelm: Aus alter Zeit. Märchen und Sagen, Ndr. Stuttgart o. J., Nr. 34, S. 108–109

65 Künzig, Johannes (wie Anmerkung 26), S. 55

66 Künzig, Johannes (wie Anmerkung 26), S. 55

67 Künzig, Johannes (wie Anmerkung 26), S. 57

68 Noguchi, Yoshiko: Rezeption der Kinder- und Hausmärchen der Brüder Grimm in Japan, Diss. Marburg 1977, S. 156–158

69 Jöckel, Bruno: Reifungserlebnis im Märchen, in: Laiblin, W. (Hrsg.): Märchenforschung und Tiefenpsychologie, (= Wege der Forschung 102) Darmstadt 1969, S. 205–211

70 Vgl. Gutter, Agnes (wie Anmerkung 4), S. 9

71 Jahn, Ulrich (wie Anmerkung 13), Nr. 6, S. 35

72 Vgl. Möller, Ingrid: Märchen als Rollenspiel, Diss. Freiburg 1967, bes. S. 16–22

73 Vgl. Gutter, Agnes (wie Anmerkung 4), S. 14

74 Vgl. Bettelheim, Bruno (wie Anmerkung 2), S. 273-276 und Laiblin, Wilhelm (wie Anmerkung 69), S. 120-122

75 Gobyn, Luc (wie Anmerkung 1), S. 581

76 So z. B. Heuscher, Julius E.: A Psychiatric Study of Myths and Fairy Tales, 2nd edition, Springfield/III. 1974, S. 214

77 Schliephacke, Bruno P.: Der Froschkönig – Urbild menschlicher Konflikte, in: Märchen, Seele und Sinnbild. Neue Wege zu altem Wissen, Münster 1974, S. 55–63

78 Bettelheim, Bruno (wie Anmerkung 2), S. 277

79 Abgedruckt bei Mieder, Wolfgang (ed.): Disenchantments. An Anthology of Modern Fairy Tale Poetry, Hanover and London 1985, S. 30–34; dt. Übersetzung nach Bettelheim, Bruno (wie Anmerkung 2), S. 277

80 Jahn, Ulrich (wie Anmerkung 35), S. 36

81 Künzig, Johannes (wie Anmerkung 26), S. 55

82 Grudde, Hertha (wie Anmerkung 15), S. 55

83 Jahn, Ulrich (wie Anmerkung 35), Nr. 6, S. 34 ff. ›Die Königstochter und die Schorfkröte‹

84 Jahn, Ulrich (wie Anmerkung 35), S. 36

85 Vgl. Gutter, Agnes: Märchen und Märe. Psychologische Deutung und pädagogische Wertung (= Arbeiten zur Psychologie, Pädagogik und Heilpädagogik 24), Solothurn 1968, S. 111

86 Jellouschek, Hans: Der Froschkönig, Zürich 1985, S. 63

87 Heuscher, Julius E. (wie Anmerkung 76), S. 211

88 Bettelheim, Bruno (wie Anmerkung 2), S. 275

89 Fetscher, Irving: Märchenverwirrbuch … Wer hat Dornröschen wachgeküßt? Das Märchen-Verwirrbuch, 1. Aufl. Hamburg u. Düsseldorf 1972, S. 193 ff.

90 Bettelheim, Bruno (wie Anmerkung 2), S. 278

91 Jellouschek, Hans (wie Anmerkung 86), S. 8, 18, 21, 23, 26 f., 33, 38, 42 f.

92 Laiblin, Wilhelm: Das Urbild der Mutter, in: Märchenforschung und Tiefenpsychologie (= Wege der Forschung 102), Darmstadt 1969, S. 100–150, hier S. 120 ff.

93 Lüthi, Max: Volksmärchen und Volkssage. Zwei Grundformen erzählender Dichtung, Bern und München 1961, S. 9–13

94 Baudouin, C.: Psychologie der Suggestion und Autosuggestion, Dresden 1926, S. 148–153

95 Jahn, Ulrich (wie Anmerkung 35), Nr. 5, S. 31–34

96 Grudde, Hertha (wie Anmerkung 15), S. 54–56

97 Bolte-Polívka I, 2; vgl. Rölleke, Heinz (Hrsg.): Märchen aus dem Nachlaß der Brüder Grimm, Bonn 1977, Nr. 6, S. 23 ff. ›Die Froschprinzessin‹

98 Vgl. Röhrich, Lutz: Art. ›Erlösung‹ in: Enzyklopädie des Märchens IV, 195–222

99 Jellouschek, Hans (wie Anmerkung 86), S. 93

100 Vgl. Klotz, Volker: Das europäische Kunstmärchen, Stuttgart 1985, S. 18–19

101 Jöckel, Bruno: Das Reifungserlebnis im Märchen, in: Märchenforschung und Tiefenpsychologie (= Wege der Forschung 102), Darmstadt 1969, S. 195–211; hier bes. S. 205 ff.

102 Rölleke, Heinz: Die Frau in den Märchen der Brüder Grimm, in: Die Frau im Märchen, Kassel 1985, S. 86–87

103 Bettelheim, Bruno (wie Anmerkung 2), S. 276

104 Vgl. Kahn, Otto: Die gerettete Frau in den Froschkönigfällen (KHM 1, AaTh 440), in: Die Freundesgabe. Jahrb. d. Ges. zur Pflege des Märchengutes der europ. Völker 1970, S. 34–45

105 HdM II, 48

106 Schliephacke, Bruno P. (wie Anmerkung 77), S. 59

107 Doderer, Klaus: Klassische Kinder- und Jugendbücher, Weinheim, Berlin u. Basel 1969, S. 143

108 Vgl. Jankowski, Alexandra: Der Froschkönig oder der eiserne Heinrich. Unveröffentlichtes Manuskript, Freiburg 1978, S. 3

109 Bettelheim, Bruno (wie Anmerkung 2), S. 275

110 Jankowski, Alexandra (wie Anmerkung 108), S. 5 f.

111 Gobyn, Luc (wie Anmerkung 1), S. 583

112 Gutter, Agnes (wie Anmerkung 4), S. 16.

113 Bolte – Polívka I, 2 f.; vgl. Scherf, W. (wie Anmerkung 8), S. 135–136; Gobyn, Luc (wie Anmerkung 1), S. 583–584

114 Vgl. Jankowski, Alexandra (wie Anmerkung 108), S. 3

115 Gutter, Agnes (wie Anmerkung 4), S. 9

116 Wittgenstein, Ottokar Graf: Märchen, Träume, Schicksale, Düsseldorf–Köln, 1965, S. 93 f.

117 Ranke, Kurt: Artikel »Ball, Kugel« in: Enzyklopädie des Märchens I, 1146–1150

118 Gutter, Agnes (wie Anmerkung 4), S. 9

119 So Heuscher, Julius E. (wie Anmerkung 76), S. 235

120 Jellouschek, Hans (wie Anmerkung 86), S. 7

121 Jellouschek, Hans (wie Anmerkung 86), S. 20, 30

122 Bettelheim, Bruno (wie Anmerkung 2), S. 274

123 Vgl. Röhrich, Lutz: Märchen und Wirklichkeit, 4. Aufl., Wiesbaden 1974, S. 106 ff.

124 Stumpfe, Ortrud: Die Symbolsprache der Märchen (= Schriften der Gesellschaft zur Pflege des Märchengutes der europ. Völker 3), 2. Aufl. Münster 1969, S. 58–59

125 Wittgenstein, Ottokar (wie Anmerkung 116), S. 84, 92–93

126 Jankowski, Alexandra (wie Anmerkung 108), S. 6–8

127 Freud, Sigmund, Studienausgabe, Conditio humana, S. 285–286

128 Vgl. Winterstein, A.: Die Pubertätsriten der Mädchen und ihre Spuren im Märchen, in: Imago 1928, S. 253 f.

129 Vgl. Jankowski, Alexandra (wie Anmerkung 108), S. 8

130 Vgl. Lüthi, Max (wie Anmerkung 93), S. 10

131 Z. B. Künzig, Johannes (wie Anmerkung 26), S. 55

132 Bolte – Polívka I, 1

133 Neumann, Siegfried (wie Anmerkung 12), Nr. 84, S. 154–156

134 Vgl. zum Grundsätzlichen: Röhrich, Lutz: Deutung und Bedeutung … Zur Deutung und Bedeutung von Folklore-Texten, in: Fabula 26 (1985), S. 3–28

135 Beit, Hedwig von: Symbolik des Märchens, Bern 1956, I, 491

136 Gutter, Agnes (wie Anmerkung 85), S. 160

137 Schliephacke, Bruno P. (wie Anmerkung 77)

138 Scherf, Walter: Lexikon der Zaubermärchen, Stuttgart 1982, S. 134

139 Jahn, Ulrich (wie Anmerkung 35). Nr. 5, S. 31 ff.

140 Busch, Wilhelm: Sämtliche Bildergeschichten mit 3380 Zeichnungen, hrsg. von Rolf Hochhuth, Gütersloh o. J., S. 278–280

141 Kaschnitz, Marie Luise: Neue Gedichte, Hamburg 1957

142 Mieder, Wolfgang (Hrsg.): Mädchen, pfeif auf den Prinzen, Köln 1983, S. 22–28

143 Sexton, Anne: Transformations, Boston 1971, S. 79–84, abgedruckt bei Mieder, Wolfgang: Disenchantments. An Anthology of Modern Fairy Tale Poetry, Hannover and London 1985, S. 23–41

144 Simmel, Johannes Mario: Die Erde bleibt noch lange jung, Ascona 1981, S. 63–66

145 Vgl. Röhrich, Lutz: Die Wandlungen des Froschkönigmärchens, in: Fabula 20 (1979), S. 180–181

146 Vgl. Blumenberg, Hans Christoph: Die Geständnisse des Froschkönigs. Eine Begegnung mit Johannes Mario Simmel, in: Die Zeit vom 7. Januar 1983, S. 33–34

147 Lindgren, Astrid: Immer lustig in Bullerbü, Hamburg 1975, S. 62 ff.

148 Hasenclever, Walter: Der Froschkönig, Berlin 1975; vgl. die Besprechung der Ausgabe durch Rudolf Schenda, in: Fabula 17 (1976),

S. 105–106

149 Musil, Robert: Der Mann ohne Eigenschaften, Hamburg 1952, S. 49f.

150 Vgl. Müller, G.: Ideologiekritik und Metasprache in Robert Musils Roman »Der Mann ohne Eigenschaften« (= Musil-Studien 2), München u. Salzburg 1972, S. 26 ff.

151 Jung, J. (Hrsg.): Märchen, Sagen und Abenteuergeschichten auf alten Bilderbogen neu erzählt von Autoren unserer Zeit, München 1974, S. 64–66

152 Richling, Mathias: Ich dachte, es wäre der Froschkönig, Stuttgart 1984 (mit insgesamt 3 Froschkönig-Nachdichtungen, S. 17–21, 61–67 und S. 93)

153 Langer, Heinz: Grimmige Märchen, München 1984, S. 46–51; vgl. den gleichnamigen Titel von Wolfgang Mieder: Grimmige Märchen, Prosatexte von Ilse Aichinger bis Martin Walser, Frankfurt am Main 1986, S. 48–59

154 Piewitz, Arne: Ich war der Märchenprinz, Hamburg 1983

155 Zitiert nach Zipes, Jack: Der Prinz wird nicht kommen. Feministische Märchen und Kulturkritik in den USA und in England, in: Die Frau im Märchen, Kassel 1985, S. 185

156 In: Süddeutsche Ztg. vom 24./25. Februar 1973

157 Claus, Uta und Kutschera, Rolf: Total Tote Hose. 12 bockstarke Märchen, Ffm. 1984, S. 55–61

158 »Froschkönigs Bettkarriere«, in: Kassajep, Margaret: Deutsche Hausmärchen frisch getrimmt, Dachau 1980, S. 40–43

159 Achternbusch, Herbert: Der Frosch. Ein Theaterstück, in: Theater heute (Ffm. 1982), H. 5, S. 42–50

160 Röhrich, Lutz: Die Wandlungen des Froschkönig-Märchens (wie Anmerkung 145), S. 175 f.

161 Janosch erzählt Grimms Märchen. Weinheim und Basel 1972, S. 45–50: Der Froschkönig

162 Horn, Katalin: Märchenmotive und gezeichneter Witz. Eine Möglichkeit der Adaption, in: Österreichische Zs. f. Vkde. 86 (1983), S. 209–237, hier: S. 217

163 Horn, Katalin (wie Anmerkung 162), S. 210

164 Horn, Katalin (wie Anmerkung 162), S. 212

165 Horn, Katalin (wie Anmerkung 162), S. 228

166 Anderson, Walter: Ein volkskundliches Experiment (FFC. 141), Helsinki 1951

167 Annonce aus: Die Zeit, Nr. 25, vom 15. Juni 1984

168 Scherf, Walter (wie Anmerkung 138), S. 137

169 Blair, Walter: The Funny Fondled Fairytale Frog, in: Studies in American Humor, new series 1 (1982), S. 17–23

170 Horn, Katalin (wie Anmerkung 162), S. 215

171 Schliephacke, Bruno P. (wie Anmerkung 77), S. 63

Text- und Bildnachweis

Die Grimmschen Textfassungen von 1810, 1812 und 1857 im Paralleldruck. – Text 1810 (Ölenberger Handschrift) und Text 1812 (Erstdruck): Die älteste Märchensammlung der Brüder Grimm. Synopse der handschriftlichen Urfassung von 1810 und der Erstdrucke von 1812. Herausgegeben und erläutert von Heinz Rölleke. Fondation Martin Bodmer. Cologny–Genève 1975. – Text 1857: Kinder- und Hausmärchen, gesammelt durch die Brüder Grimm. 1. Band. Große Ausgabe. Siebente Auflage. Göttingen 1857

Der Froschprinz: Kinder- und Hausmärchen. Gesammelt durch die Brüder Grimm. 2. Band. Nummer 13. Berlin 1815. Diesen Text haben die Brüder Grimm in spätere Ausgaben nicht mehr aufgenommen.

Wenn du drei Nächte weinst (aus dem Nachlaß der Brüder Grimm): Kurt Schmidt, Die Entwicklung der Grimmschen Kinder- und Hausmärchen seit der Urhandschrift (Hermaea Band 30). Halle 1932

Ludwig Bechstein, Oda und die Schlange: Ludwig Bechstein, Sämtliche Märchen. Ausgabe letzter Hand. Das Märchen entnahm Bechstein der Sammlung von Karl Müllenhoff: Sagen und Märchen und Lieder der Herzogtümer Schleswig, Holstein und Lauenburg, Kiel 1845, wobei Bechstein aber nicht nur aus dem Plattdeutschen übersetzt, sondern zum Teil auch willkürlich geändert hat.

Wilhelm Busch, Der verwunschene Prinz: Wilhelm Busch, Sagen und Lieder ut ôler Welt. Hrsg. Otto Nöldeke. Leipzig 1922

Wilhelm Busch, Die beiden Schwestern: dito

Die Königstochter und die Schorfkröte (pommersches Märchen): Ulrich Jahn, Volksmärchen aus Pommern und Rügen. Nr. 6. Norden und Leipzig 1891

De Kreet (ostpreußisches Märchen): Hertha Grudde, Plattdeutsche Volksmärchen aus Ostpreußen. Nr. 30. Königsberg 1931

Die Froschfee (elsässisches Märchen): Ré Soupault, Französische Märchen. Nr. 23 (Die Märchen der Weltliteratur) Düsseldorf–Köln 1963

Der Froschkönig (ostdeutsches Märchen): Elfriede Moser-Rath, Deutsche Volksmärchen. Neue Folge. Nr. 10 (Die Märchen der Weltliteratur) Düsseldorf–Köln 1966. Aufzeichnung aus einer Pommernsiedlung in Mittelpolen; eine Version mit gesungenen Versen, wie sie bei ostdeutschen Erzählern beliebt waren.

Der Froschbräutigam (tibetisches Märchen): Margret Causemann, Füchse des Morgens. Märchen einer tibetischen Nomadenfrau. Köln 1986

Die Froschjungfer (mexikanisches Märchen), aus: Märchen aus Mexiko, herausgegeben von Felix Karlinger und Maria Antonia Espadinha. Nr. 29. Düsseldorf–Köln 1978

Janosch erzählt Grimms Märchen, aus: Janosch erzählt Grimms Märchen. Weinheim und Basel 1972. Mit Genehmigung des Verlags Beltz & Gelberg

Elisabeth Hofelich, Entzauberung: Erstdruck

Marie Luise Kaschnitz, Bräutigam Froschkönig, aus: Marie Luise Kaschnitz, Überallnie. Ausgewählte Gedichte 1928–1965. Düsseldorf 1967. Mit Genehmigung des Claassen Verlags

Johannes Mario Simmel, Märchen 1951, aus: Johannes Mario Simmel, Die Erde bleibt noch lange jung. Ascona 1981. Mit Genehmigung des Droemer/Knaur Verlags Schoeller & Co.

Franz Fühmann, Die Prinzessin und der Frosch,
aus: Franz Fühmann, Gedichte und Nachdichtungen. Rostock 1975. Mit Genehmigung des
Hinstorff Verlags

Barbara König, Paralipomena zum Froschkönig,
aus: Jung, Jochen (Hrsg.), Märchen, Sagen,
Abenteuergeschichten. München 1974. Mit
Genehmigung des Verlags Moos & Partner

Mathias Richling, Froschsein oder Froschbleiben,
aus: Mathias Richling, Ich dachte, es wäre der
Froschkönig. Stuttgart 1984. Mit Genehmigung
des Spectrum Verlags

Astrid Lindgren, Immer lustig in Bullerbü, aus:
Astrid Lindgren, Immer lustig in Bullerbü.
Hamburg 1956. Mit Genehmigung des Oetinger
Verlags

Peter Heisch, Der Froschkönig: Der Nebelspalter
vom 16. Juli 1975. Mit frdl. Genehmigung von
Autor und Redaktion

H. G. Fischer-Tschöp, Interview aus: H. G.
Fischer-Tschöp. Interview mit dem Froschkönig. In Süddeutsche Zeitung vom 24./25. Febr.
1973

*Johann Friedrich Konrad, Aus der Froschperspek-
tive:* Hexen-Memoiren. Märchen, entwirrt und
neu erzählt. Frankfurt am Main 1981. Mit Genehmigung des Eichborn Verlags

*Uta Claus, Froschkönig – von einer Emanze
erzählt:* Uta Claus/Rolf Kutschera: Total tote
Hose. 12 bockstarke Märchen. Frankfurt am
Main 1984. Mit Genehmigung des Eichborn
Verlags

Armin Steinecke, Froschkönig 1978: Fabula. 20.
Jahrgang 1979, S. 179

Karin Struck, Und so hast du mich erlöst: Karin
Struck, Glut und Asche. Eine Liebesgeschichte.
Prolog. München 1985. Mit Genehmigung des
Albrecht Knaus Verlags

Bei den Abbildungen ist die jeweilige Quelle, soweit eruierbar, als Teil der Bildlegende festgehalten.
Der Innentitel zeigt Maurice Sendaks hintergründige Illustration zum »Froschkönig« (aus Maurice
Sendak/Lore Segal, Märchen der Brüder Grimm, Zürich 1974). Der Holzschnitt auf Seite 5 stammt von
Werner Klemke (aus Kinder- und Hausmärchen der Brüder Grimm, Berlin/DDR 1962) und auf Seite 7
findet sich eine Vignette von Ruth Koser-Michaels. Der auf Seite 9 abgebildete Cartoon von Hoest
entstammt der Sammlung Wolfgang Mieder (Erstveröffentlichung in der Saturday Review vom 18. 12.
1973). Seite 73 zeigt einen weiteren Holzschnitt von Werner Klemke (links), kontrastierend mit einem
Cartoon von Hilke Raddatz.
Wir danken allen denen, die uns die Genehmigung zum Abdruck erteilt haben, insbesondere Johanna
Hegenbarth, Albert Schindehütte, dem Heinrich-Vogeler-Archiv Worpswede, dem Brüder-Grimm-
Museum Kassel, dem Archiv Wolfgang Mieder, Burlington/Vermont sowie den Verlagen Beltz
& Gelberg, Weinheim; Diogenes, Zürich; Elwert'sche, Marburg; Kinderbuchverlag, Berlin/DDR.

Literaturverzeichnis

Bächtold-Stäubli, Hans (Hrsg.): Handwörterbuch des Deutschen Aberglaubens, III, 124–142, Art. ›Frosch‹

Beit, Hedwig von: Symbolik des Märchens, Bern 1956, II, 34–42

Bettelheim, Bruno: Kinder brauchen Märchen (Titel der amerikanischen Originalausgabe: ›The Uses of Enchantment‹, N.Y. 1975), Stuttgart 1977, S. 273–278

Blair, Walter: The Funny Fondled Fairytale Frog, in: Studies in American Humor, new series 1 (1982), S. 17–23

Bolte-Polívka: Anmerkungen zu den Kinder- und Hausmärchen der Brüder Grimm, 5 Bde., Ndr. Hildesheim 1963, I, 1–9

Campbell, Joseph: Der Heros in tausend Gestalten (Titel der engl. Originalausgabe: The Hero with a Thousand Faces, 1949), Frankfurt am M. 1953, bes. S. 55–59, 115

Gutter, Agnes: Es ist ein Band von meinem Herzen … Zur Bedeutung des Märchens ›Der Froschkönig oder der eiserne Heinrich‹ für die Psychohygiene (= Schriften zur Kinder- und Jugendliteratur), Solothurn 1976

Handwörterbuch des Märchens (= HdM) II, 247–267, Art. ›Frosch‹ von K. Heckscher; II, 267–274, Art. ›Froschkönig‹ von Grunwald

Horn, Katalin: Märchenmotive und gezeichneter Witz. Einige Möglichkeiten der Adaption, in: Oesterreichische Zs. f. Vkde. 86 (1983), S. 209–237 (mit Beispielen vorzugsweise aus schweizerischen und ungarischen Zeitungen)

Jankowski, Alexandra: Der Froschkönig oder der eiserne Heinrich. Unveröffentl. Manuskript, Freiburg 1978

Jellouschek, Hans: Der Froschkönig, Zürich 1985

Jöckel, Bruno: Das Reifungserlebnis im Märchen, in: Märchenforschung und Tiefenpsychologie (= Wege der Forschung 102), Darmstadt 1969, S. 195–211, bes. S. 205 ff.

Kahn, Otto: Die gerettete Frau in den Froschkönigfällen (KHM 1, AaTh 440), in: Die Freundesgabe. Jahrb. der Gesellschaft zur Pflege des Märchengutes der europäischen Völker 1970, S. 34–35

Konrad, Johann-Friedrich: Aus der Froschperspektive – ein bekanntes Märchen für Jugendliche neu erzählt, in: Zs. für Religionspädagogik 1978, S. 93–94

Lankford, George E.: The Tree and The Frog. An Explanation in Statigraphic Folklore, Diss. Bloomington/Indiana 1975

Lüthi, Max: Volksmärchen und Volkssage. Zwei Grundformen erzählender Dichtung, Bern und München 1961, bes. S. 9–13

Mieder, Wolfgang: Modern Anglo-American Variants of the Frog Prince (AaTh 440), in: New York Folklore 6 (1980), S. 111–135 (mit Beispielen vorzugsweise aus amerikanischen Zeitungen)

Mieder, Wolfgang: Mädchen, pfeif auf den Prinzen, Köln u. Düsseldorf 1983

Mieder, Wolfgang: Disenchantments. An Anthology of Modern Fayry Tale Poetry, Hanover and London 1985, S. 23–41

Mieder, Wolfgang: Grimmige Märchen. Prosatexte von Ilse Aichinger bis Martin Walser, Frankfurt am Main 1986

Möller, Ingrid: Märchen als Rollenspiel, (Med.) Diss. Freiburg i. Br. 1967 (bes. S. 16–22)

Paukstadt, Bernhard: Paradigmen der Erzähltheorie. Ein methodengeschichtlicher Forschungsbericht (= Hochschulsammlung Philosophie. Literaturwissenschaft 6), Freiburg 1980

Röhrich, Lutz: Das Froschkönig-Märchen, in: Der Schweizerische Kindergarten 65 (1975), S. 246–250

Röhrich, Lutz: Der Froschkönig und seine Wandlungen, in: Fabula 20 (1979), S. 170–191

Röhrich, Lutz: Märchen und Wirklichkeit, 4. Aufl., Wiesbaden 1974

Röhrich, Lutz: Sage und Märchen. Erzählforschung heute, Freiburg 1976

Rölleke, Heinz (Hrsg.): Die älteste Märchensammlung der Brüder Grimm, Cologny-Genève 1975, S. 144–153

Scherf, Walter: Lexikon der Zaubermärchen, Stuttgart 1982, S. 133–138

Schliephacke, Bruno P.: Der Froschkönig – Urbild menschlicher Konflikte, in: Märchen, Seele und Sinnbild. Neue Wege zu altem Wissen, Münster 1974, S. 55–63

Schmidt, Kurt: Die Entwicklung der Grimmschen Kinder- und Hausmärchen seit der Urhandschrift (= Hermaea 30), Halle 1932, S. 271–285

Schoof, Wilhelm: Der Froschkönig oder der eiserne Heinrich. Ein Beitrag zur Stilentwicklung der Grimmschen Märchen, in: Wirkendes Wort 7 (1956/57), S. 45–49

Stumpfe, Ortrud: Die Symbolsprache der Märchen (= Schriftenreihe der Gesellschaft zur Pflege des Märchengutes der europäischen Völker 3), 2. Aufl., Münster 1969, bes. S. 58, 59